W9-AZS-784
ALFAGUARA

ALFAGUARA JUVENIL

www.leeresunbuenplan.es

www.leeresunbuenplan.es

Ediciones Santillana, S.A.
Leandro N. Alem 720
C1001AAP - Ciudad de Buenos Aires
Argentina

Editorial Santillana, S. A. de C.V.
Avda. Universidad, 767. Col. Del Valle,
México D.F. C.P. 03100

Distribuidora y Editora Aguilar, Altea, Taurus, Alfaguara, S. A.
Calle 80, nº 9-69. Bogotá. Colombia

ISBN: 978-84-204-7456-4
Depósito legal: M-30.329-2010
Printed in Spain - Impreso en España por
Huertas, S. L, Fuenlabrada (Madrid)

Sexta edición: diciembre 2013

Diseño de la colección
Manuel Estrada

Maquetación
David Rico

Sopa de Europa

Rafael Ordóñez

Ilustraciones de Ximena Maier

Para todos mis amigos;
los de cuatro, once o cincuenta años.

¿Conoces Europa?

Aquel lunes por la mañana de principios de junio, ninguno de los chicos podía imaginar que iba a vivir unas vacaciones diferentes a las que hasta entonces había conocido.

La *seño*, después de toser dos veces, sonrió como si estuviese en un anuncio de dentífrico.

—Tengo una noticia estupenda que daros. A todos.

—¿Ya se acaban las clases? —preguntó Raúl.

—No, es algo mucho mejor. Veréis. ¿Os acordáis del concurso aquel en el que participamos a principio de curso?

—¿El de Europa?

—Sí, ése. El de ‹‹¿Conoces Europa?››. ¿No recordáis que la directora nos felicitó porque habíamos quedado entre los finalistas y que...?

—Sí, que unos chicos de Finlandia lo habían ganado.

—Pues, veréis: a los chicos que quedaron en tercer lugar los han descalificado porque se ha descubierto que los trabajos que habían hecho... Bueno, que se supone que deberían haber hecho... Pues eso, que fueron los hermanos de dos de ellos los que los ayudaron en realidad. Y...

—¿Y qué? —gritó Javier muy nervioso.

—Pues que nos han dado el tercer premio a nosotros. Somos la medalla de bronce de Europa.

El reconocimiento llegaba algo tarde. Pero aquello importó poco a los chicos, que se pusieron a gritar, silbar, saltar, abrazarse, empujarse, hacer el mono, reír, bailar y tirar por el aire todo lo que tenían a mano.

La *seño* sonreía orgullosa. Aquellos chavales habían ganado un concurso a nivel europeo. Un colegio de una pequeña ciudad había ganado un premio europeo…

—¡La Champions, hemos ganado la Champions! —chillaba Aarón.

—¿Y cuál es el premio? —preguntó Lu Mei.

Al oír esto, todos parecieron calmarse. Sí, habían ganado, ¿pero qué habían ganado? Todos miraron a la *seño* mientras iban quedándose en silencio, esperando ansiosos.

—El premio consiste en un viaje a cada uno de los países de la Unión Europea. ¿A que es estupendo?

Nadie dijo nada. Se miraban unos a otros esperando que alguien decidiese si aquello era algo bueno o no.

—¿Que nos vamos todos de viaje? –preguntó Marta.

—Eso es. El premio es un viaje. Pero cada uno irá a un país diferente. Vamos a hacer un sorteo dentro de un ratito, cuando venga la directora y un señor del Ministerio de Asuntos Exteriores. Luego os daremos una carta explicándoselo todo a vuestros padres.

—¿Entonces no nos vamos juntos?

—No, cada uno irá a un país. Al que le toque, pero no tendrá que pagar nada. Ése es el premio.

—Yo quiero ir a China —dijo Lu Mei.

—Y yo, a Marruecos —siguió Fátima.

—Y yo, a Disneylandia —gritó envalentonado Aarón.

—Bueno, bueno, chicos. ¡Qué pronto se os olvidan las cosas! Vamos a ver, cuando hicimos el trabajo sobre la Unión Europea vimos que hay algunos países que forman parte de ella y otros no. China y Marruecos no están dentro de la Unión, y Disneylandia, Aarón, no es un país, es un parque de atracciones.

Todos los chicos se quedaron en silencio, pensativos, intentando recordar a qué países iban a viajar. La señorita sonrió:

—¿No os acordáis? Francia, Portugal, Grecia, Finlandia, Suecia, Hungría...

—Sí, y Malta, que es el más pequeño —dijo muy contenta Fátima.

—¿Se puede? —se oyó tras unos golpecitos en la puerta.

La *seño* abrió y entraron la directora del colegio y un señor con un traje muy elegante.

—¡Enhorabuena! —dijo la directora—. Habéis ganado el premio europeo. Bueno, os presento al señor Blázquez, un funcionario del Ministerio de Asuntos Exteriores que os va a contar en qué consiste el galardón.

—Buenos días, chicos. Muchas felicidades. Quiero agradeceros en nombre del Gobierno de la Nación el esfuerzo que os ha supuesto realizar el trabajo del concurso. El Gobierno, y el Ministro de Asuntos Exteriores como su representante más directo, y el Secretario de Estado para....

—Ejem, ejem —tosió la directora—. Que son niños…

—¡Ah, sí! Bueno, que tenéis un estupendo premio. La Unión Europea os regala un viaje por cada uno de los países que la componen. Pero como ya me ha dicho la directora que vosotros sois menos que los países de la Unión, alguno podrá visitar más de un país —hizo una pequeña interrupción y enseguida siguió—: ¡Ah! Se me olvidaba. Desde el gabinete de prensa y relaciones exteriores me han sugerido que os pida una cosa. Sólo es un pequeño esfuerzo. Nos gustaría que, después del viaje, nos enviaseis una redacción sobre el país que hayáis visitado: sus monumentos, lo que más os llame la atención, las comidas... Bueno, lo que queráis. Creo que quieren hacer un libro con ellas para distribuirlo por todos los colegios. Entendemos que, como estáis de vacaciones, tampoco tendréis muchas ganas de trabajar, pero bueno, sólo os pedimos esto.

—Sí —habló la directora—, aunque podéis pedir ayuda a vuestros padres, consultar alguna guía de viaje, mirar en Internet, o lo que queráis.

—A mí se me ocurre, si no hay inconveniente —dijo la *seño* mirando al señor Blázquez—, que podríamos darles libertad para que eligieran la forma de escribir. Hay mucho talento en estas sillas.

—Bueno, no sé muy bien qué...

—Ya lo habéis oído —interrumpió la *seño* muy contenta—. Chicos, podéis escribir redacciones normales, o hacer alguno de los juegos que hemos visto este año, o incluso alguna poesía, así será mucho más divertido. Yo sé que sois muy imaginativos, ahora hay que demostrárselo a toda Europa. La redacción sobre

España la haré yo y así tendremos a toda la Unión Europea en un libro.

Todos fueron levantándose de sus sillas, acercándose hasta la mesa y cogiendo, al azar, una carpeta con la información de cada viaje.

Los chicos abrieron nerviosos las carpetas. Lo primero que vieron fue una bandera, cada una de un país diferente, todas europeas.

Así comenzaban las vacaciones más originales de su vida.

David en Bulgaria

Hola, seño.

Mi madre dice que soy un poco vago y que no me voy a acordar de lo del viaje. Por eso hemos comprado un montón de postales. Yo las voy escribiendo y se las mando, luego ya haremos la redacción. ¡Ah! Aquí escriben con unas letras muy raras (se llama alfabeto cirílico). Yo, no.

Hola, seño.

Estamos en Sofía, que es la capital de Bulgaria. Bulgaria no es un país <<bulgar>>, ni vulgar; es muy molón. Hemos estado en la catedral Alexander (la de la postal) y luego en el Teatro Nacional. Saludos de mis padres.

¿Qué pasa, Raúl?

Yo estoy en Bulgaria, que mola mucho, aunque mi madre está empeñada en verlo todo y no paramos. Todo el día de aquí para allá. Estamos viendo un montón de cosas: pueblos, ciudades, monasterios, bosques, fuentes y más. Los nombres son muy largos y muy raros, pero yo los voy apuntando y se los mando a la seño en postales, para hacer la redacción. ¿Qué tal en los países bálticos? Adiós.

Hola, seño.

Creo que la última postal que envié iba equivocada, no estoy seguro. Mi madre dice que aquí se inventó el yogur, pero en los hoteles y en los restaurantes sólo tienen yogures naturales y son un poco fuertes. A lo mejor es que inventaron pocos. Hoy hemos visitado dos monasterios: DRAGALEVSKY y KREMINKOVSKI. Son muy bonitos, pero me ha costado más escribir sus nombres que verlos enteros. La religión de casi todos es ortodoxa. Saludos de mis padres.

Hola, .

¡Qué risa! Hemos estado en una ciudad muy bonita que se llama Veliko Turnovo, o algo así. Mis padres se han disfrazado de reyes búlgaros para hacerse unas fotos. Pero luego mi padre decía que no se iba a quitar el traje y que se iba a quedar de rey. Mi madre le ha regañado porque el señor de los disfraces nos miraba mucho. Hemos bebido , que es yogur con agua; está muy rico. Saludos de mis padres.

Hola, .

Hemos venido hasta el Mar Negro, que no es negro. Es azul, un poco oscuro, pero azul. Aquí todos los nombres acaban en <<ov>>, como Petrov o Sthoikov. Hoy no hemos comido yogur, sino manzanas. Mi padre se ha hecho un lío al pagar la cuenta del restaurante, porque aquí todavía no hay euros, su moneda se llama lev. Saludos de mis padres.

Hola, .

Ya no tengo postales, por eso escribo una carta. Hoy hemos estado en el monasterio de Rila. Chulísimo. Había mucho humo de las velas. Y en la cocina, una chimenea gigante.

A la vuelta íbamos por una carretera muy pequeña con muchos árboles a los lados. Hemos parado en una taberna, mi padre dice que se llama y hemos comido carne con patatas, aunque con un sabor muy raro pero muy rico. De postre hemos comido yogur, pero con trozos gordos de melocotón y manzana. ¡Qué rico! Saludos de mis padres.

Hola, .

¡Menudo lío! Mi padre hablaba con el taxista para que nos llevara al aeropuerto, pero el taxista sonreía y movía la cabeza de izquierda a derecha. Mi padre se ha enfadado. Pero luego mi madre ha leído en una guía de viajes que aquí la costumbre es decir sí moviendo la cabeza de lado a lado, como nosotros decimos no.

Luego hemos esperado mucho rato en el aeropuerto y yo me he puesto a escribir esto. Bulgaria mola. Saludos de mis padres.

Sergio en Austria

Me llamo Sergio y me ha tocado viajar a Austria. Mis padres se pusieron muy contentos. Yo les conté que luego tenía que hacer una redacción del país, pero que quería ser original, incluir juegos o algo así. A mi madre le gusta mucho la música y me dijo que como Austria ha tenido muy buenos músicos, pues que hiciera un homenaje a la música.

Y me dijo también que grandes músicos como Karajan, Mahler, Strauss, Schubert, Haydn y, sobre todo, Mozart (me ayudó a escribir sus nombres) estarían muy contentos.

Y por eso hice esta redacción, para que estén contentos Mozart y los demás.

Hay que buscar en la redacción las notas musicales. Por ejemplo, si escribo que el hombre que se sentó a mi lado era muy relamido, ¿habéis visto alguna nota musical? Pues hay unas cuantas. Veréis:

El hombre que se sentó a MI LA-DO era muy RE-LA-MI-DO. ¿A que es fácil? Pues entonces hay que encontrar las notas, que hay muchas: DO, RE, MI, FA, SOL, LA y SI. Empezamos.

Austria no SOLo es el país de la múSIca. Tiene muchas cosas (bueno, ya no pongo más mayúsculas, hay que encontrarlas incluso con minúsculas).

El primer sitio que vimos de Austria fue el aeropuerto y luego la capital, que es Viena. Allí estuvimos en un hotel muy molón, en dos habitaciones. Yo dormí con mi padre en una y mi madre en la de al lado. Yo quería dormir solo, pero mi madre no quiso, dijo que estábamos en el extranjero y que tenía que obedecer sin rechistar. Por lo visto, en el extranjero se obedece sin rechistar.

En Viena vimos el Palacio Imperial de Francisco José y Sissi (mirad qué fácil, dos veces la nota SI). Los jardines son muy grandes y tienen muchas flores, plantas, árboles y fuentes.

También fuimos a la calle del anillo (no es del Señor de los Anillos), que es una calle muy larga y casi redonda que se llama Ringstrasse. Tiene muchos edificios a los lados, todos muy bonitos, como el del ayuntamiento. Compramos unas entradas para un espectáculo de caballos para el día siguiente.

Nos comimos una tarta de chocolate que se llama Sacher, en el hotel Sacher precisamente.

Mi padre dijo que era una tarta famosa en el mundo entero.

Al día siguiente vimos lo de los caballos en la Escuela Española de Equitación. Los caballos hacían de todo. Me gustó mucho, pero olía fatal.

Después salimos y vimos una iglesia muy antigua y la catedral de San Esteban, que tiene una torre muy alta. Tuvimos que subir más de trescientos escalones para ver los tejados de Viena. Me cansé mucho, pero luego me gustó la ciudad y la gente se veía muy pequeña.

También vimos la Columna de la Peste en la calle Graben, donde hay tiendas y un edificio que parecía un Ferrero Rocher: tenía una bola de color dorado.

Por la noche cenamos en una taberna del barrio Grinzig donde iba a beber vino hace mucho un señor muy importante que se llamaba Freud y era psiquiatra.

Otra ciudad que vimos se llama Salzburgo. Aquí nació Mozart, el músico más famoso del mundo. Vimos su casa, con su cama, su piano y su silla. Y su estatua estaba en otra calle. Después fuimos a comer a una abadía, que es donde vivían los monjes. Mi madre trajo cuatro panes diferentes de una tiendecita, porque dijo que en Austria hay unos panes muy buenos. Hay uno que se llama pan vienés, nada menos. Nos sentamos en unos bancos de madera y comimos salchichones ahumados y ensalada de patatas, que allí las llaman *Kartoffeln.*

Por la tarde vimos el castillo de Hohensalzburg, que tiene una torre y una cámara de tortura. Al lado hay un convento donde hace mucho rodaron una película que a mi madre le gusta mucho, se llama ‹‹Sonrisas y lágrimas››.

Por la noche vimos un teatro de marionetas con música clásica de Mozart.

En Innsbruck estuvimos en un edificio que tiene un tejadillo dorado, que es de oro, y en un museo de campanas, que no me gustó porque casi todo lo que había eran campanas y campanillas.

Mi madre se empeñó y fuimos al jardín alpino, que tiene muchas plantas, pero yo estaba cansado y me daba igual un árbol que otro. Menos mal que luego nos comimos un helado.

Me gustó más la montaña olímpica, porque subimos en un teleférico.

Luego, en Viena, fuimos a una cafetería muy bonita y mi madre se pidió un café vienés, que tiene nata, y mi padre otro, y yo, un batido de chocolate y una tarta de chocolate, la famosa tarta Sacher. Mi madre me colocó la servilleta como el babero de un bebé y me daba algo de vergüenza, pero mi madre me dijo que los extranjeros saben de sobra que ponerse así la servilleta es una costumbre muy española y entonces ya no me dio vergüenza.

Bueno... ¿Cuántas notas habéis encontrado?

Firmado: Sergio

Walter en Suecia

Buenas tardes. Como mis padres y yo y casi todos los ecuatorianos en España somos inmigrantes, no nos vamos de vacaciones a otros países. Sólo volvemos a veces a Ecuador a ver a los abuelos, los hijos y los tíos. Y ésas son las vacaciones.

Por eso nos pusimos muy contentos con el premio, porque un viaje a Europa está muy bien, y si es de vacaciones está mucho mejor.

Fuimos a la biblioteca y estuvimos mirando en libros y en Internet cosas de Suecia. Leímos que era un país muy frío, pero como nosotros íbamos en verano haría bueno.

En Internet ponía que era un país muy rico y que la gente tenía mucho dinero. Mi madre decía que en muchos países hay mucho dinero, pero no todos lo tienen.

Fuimos en avión. Yo no había montado desde hacía mucho, cuando vine de Ecuador, pero ya no me acordaba. Mi hermana se puso a llorar porque se movía y mi madre la cogió de las manos y ella sonrió y se calló.

Llegamos a Estocolmo, *esto es el colmo,* y vimos monumentos:

—Palacio Real

—Museo Buque Real Vasa (que es un barco)

—Gamla Stan (el pueblo viejo)

—Riksdagen (Parlamento)

—Museo Nobel

Mis padres me contaron lo de Alfredo Nobel, que era inventor y muy rico. Inventó la dinamita y luego dejó todo su dinero para premios. Y todos los años se dan premios Nobel a gente de todo el mundo: de física, química, medicina, literatura, economía y el de la paz.

Mientras comíamos unos perritos calientes, mi padre oyó a unos hablar en español y les preguntó de dónde eran. Dijeron que eran uruguayos: de Uruguay, cerca de Ecuador. Bueno, no muy cerca.

esto

el colmo

Hablamos un rato y nos dijeron que ellos daban premios Nobel de muchas cosas. Yo no sabía lo que era, pero me lo explicaron: era un juego. Si veían a alguien comer mucho le daban el premio Nobel al más tragón, aunque no se lo decían por si se enfadaba, y porque la mayoría de los suecos no entiende el español.

A mí me gustó la idea y estuvimos jugando a los premios Nobel todo el viaje.

En Estocolmo vimos tiendas de cosas muy raras pero bonitas, muy modernas. Pero le dimos el premio Nobel de lo más caro del mundo. Y mi padre le dio a mi madre un premio Nobel especial de economía, porque decía que sabía muy bien qué hacer con el dinero.

Cogimos otro avión pequeño y nos llevaron a un sitio que se llama Kiruna, que está en el Polo. Hacía tanto frío que le dimos el premio Nobel del frío. Vimos renos como los de Papá Noel y casas y un hotel de hielo. Y todo el rato era de día, porque en verano no había noche. Mi padre le dio el premio Nobel del sol, aunque era un sol que no daba mucho calor.

33

Nos volvimos a Estocolmo, no sé si al día siguiente o no, porque no se hizo de noche, y nos llevaron a otro sitio que se llama Malmö y vimos monumentos:

—Castillo viejo (que es un museo)

—Turning Torso (una torre de un arquitecto español que se llama Calatrava)

—Viejo ayuntamiento

—Una casa roja

—Una casa con rayas

—Muchas casas con vigas de madera por fuera.

Lo mejor fue el puente. Un puente grande, grande, muy grande, que llega hasta Dinamarca, que es el país adonde fue Aarón. Le dimos el premio Nobel de los puentes del mundo.

Nos montamos en un barco pequeño que va por los canales y mi hermana casi se cae al agua. Luego mi padre casi se da con la cabeza en un puente, que nos tuvimos que agachar todos. Le dimos el premio Nobel al más torpe.

En otro sitio que se llama Gotemburgo vimos monumentos:

—Puerto antiguo

—Estadio Ullevi

—Ayuntamiento

—Museo de ciencias (que tenía tiburones vivos nadando y los vimos desde abajo, ¡vaya bocazas! Yo les di el premio Nobel a los mejores dientes).

Mi padre estuvo de joven trabajando en San Francisco, una ciudad de Estados Unidos, y me dijo que los tranvías eran iguales que los de allí, porque también iban por cuestas muy empinadas.

Me gustó mucho un parque de atracciones muy grande que se llama Liseberg. Tiene una montaña rusa enorme, le dimos el premio Nobel a la montaña rusa. Yo no subí porque soy bajito, y mis padres no subieron porque dijeron que así yo no tendría *pena*. Pero yo creo que no subieron porque tenían miedo. Yo les di el premio Nobel del miedo, pero sin decírselo.

Al final, cuando volvimos, le dimos el premio Nobel a Suecia, el premio Nobel de las vacaciones. Y como mi hermana no lloró en el avión, le di el premio Nobel de la valentía.

Firmado: Walter Quiñónez de Madariaga

Alicia en el Reino Unido

Cuando me tocó el viaje al Reino Unido, mi padre dijo que eso estaba claro desde el principio. Y es que yo me llamo Alicia porque a mi madre le gustó mucho el libro de ‹‹Alicia en el país de las maravillas››, y su escritor era de allí.

Como yo no sé mucho inglés, pero quiero practicar un poco, voy a escribir mi redacción con algunas palabras en inglés. Además, así será original, como nos dijo la *seño*.

El Reino Unido de la Gran Bretaña e Irlanda del Norte (para abreviar puede decirse Reino Unido, o R.U., o Gran Bretaña, o algunos dicen *only* Inglaterra y se quedan tan anchos) es un estado del *north* de Europa que comprende la *island* de Gran Bretaña, donde se encuentran Inglaterra, Gales y Escocia, y el norte de Irlanda, donde está Irlanda del Norte (claro, en el norte de Irlanda no iba a estar Irlanda del Sur).

Sus *coasts* son muy recortadas y tiene muchas islas pequeñas como las Shetland, Orcadas, Hébridas, Jersey (una isla muy abrigada) y Man, que es una isla y no un *man*.

En el Reino Unido hay *many* ríos, pero pequeños, como también son muy bajitas sus *mountains*.

Su clima tiene temperaturas moderadas, *winters* no muy fríos y veranos no muy *warms*. Eso sí, llover, llueve un montón, y cuando no llueve, como hay tanta *humidity*, se forman brumas. En Londres, la capital, llaman a su niebla ‹‹puré de guisantes›› por lo espesa que es.

El Reino Unido es uno de los países más industrializados del mundo, como que fue aquí donde surgió la *revolution* industrial y se empezaron a construir las primeras *machines*.

El Reino Unido es una monarquía constitucional hereditaria, es decir, que el *boss* del estado es un *king*, en este caso una *queen*, pero hay un parlamento y un *government*, elegidos por el *people*, que son quienes hacen y aplican las leyes.

Las *cities* más importantes son Londres, Liverpool, Manchester, Glasgow, Cardiff, Belfast y unas cuantas más.

Gran Bretaña fue durante mucho tiempo un *empire* y colonizó numerosas zonas de todo el mundo. Por esto, la cultura británica y sus usos y tradiciones pueden encontrarse en países tan *fars* como Australia, India, Malta, Canadá y muchos otros.

Es una nación muy *special*, tiene imágenes muy propias, como los autobuses de dos pisos o los policías con grandes *hats* de piel. Suelen tomar el té a las *five* de la tarde, disfrutan mucho con *sports* como el fútbol o el rugby o el escondite inglés y lo que más llama la atención es que conducen por la *left*, al contrario que en el *continent*.

Como ya he terminado la redacción, ahora puedo decir que lo que menos me ha gustado del Reino Unido es que de los siete días que hemos estado, tres ha llovido, uno ha llovido a ratos, uno ha estado muy cubierto y hacía frío y sólo en dos ha salido el sol, y uno era el que nos veníamos. Pero por eso mis padres me han comprado una cazadora muy chula, que tiene el cuello de lana y que dicen que es de aviador.

Lo que más me ha gustado ha sido Londres y Edimburgo y todo, porque es un país muy bonito con muchos prados, aunque también hay muchos coches.

Mi madre se ha traído una caja metálica llena de bolsitas de té y mi padre una camiseta del Mánchester. Yo me he comprado muchas cosas, pero lo que más me gusta es este boli de la Torre de Londres, con el que he escrito la redacción.

Firmado: Alicia.

Lu Mei en Luxemburgo

Me llamo Lu Mei y soy china. Bueno ahora soy española, porque yo nací en China, pero mis padres me adoptaron y me llevaron hasta España y me pusieron de nombre Teresa, aunque me dijeron que usara el nombre que más me gustara. Ahora me gusta más el chino, pero en verano, no sé por qué, me gusta más el español, y entonces me llamó Teresa.

Bueno, pues a mí me ha tocado ir de vacaciones a Luxemburgo, un país muy pequeño pero con el nombre muy grande. ¡Qué gracia! Porque luego hay otros países muy grandes que tiene el nombre muy pequeño, como China, India, Rusia o Brasil. Hemos estado jugando a nombres en el avión y mi padre dice que hay un país que se llama Liechtenstein, pero que es más pequeño que nuestro barrio. Como el nombre de Luxemburgo es tan largo, voy a poner Lux y ya está. Y como me salgan otras palabras largas, las haré pequeñas también.

Y eso que el nombre oficial no es ése, sino que es Gran Ducado de Luxemburgo. Pero este país, aunque sea pequeño, está en todo el centro de Europa. Es como el ombligo y tiene, que lo he leído, el Tribunal de Justicia de la Unión Europea, el Tribunal de Cuentas Europeo, el Banco Europeo y la Secretaría General del Parlamento Europeo. Que no sé yo si todas estas cosas entrarán dentro de un país tan pequeño. Estarían mucho mejor en China, que es enorme, pero claro, como China no está en Europa. ¡Vaya tontería!

Bueno, en la capital de Lux, que también se llama Lux, hay un montón de cosas muy bonitas. Estuvimos en la catedral de Notre Dame, que mi padre decía que estaba en París, pero mi madre le dijo que Notre Dame en francés es Nuestra Señora, y que la de París será de otra señora, no de la de Lux. Luego estuvimos en la Place d'Armes y en el Chemin de la Cornise, que es un paseo de rocas por encima del río. Me dio un poco de miedo, pero mi madre me abrazó con fuerza. Luego, nos comimos un helado en unos jardines preciosos.

Otro día fuimos a ver el castillo de Veianen, que está muy alto, muy alto, y subimos en unas sillas colgadas de unos cables de acero. Al principio, mi padre y yo cerramos los ojos, pero luego mi madre nos dijo que no pasaba nada y los abrimos, y qué bien, porque es algo precioso. El castillo es del siglo XII, es decir, de hace muchos años, y tiene unas cuantas armaduras de caballeros de esos que se daban golpes con las espadas y las lanzas.

También estuvimos en otro castillo y una abadía, la de San Mauricio, y comimos un jamón york como con sabor a humo, que estaba muy rico. También visitamos el palacio de los Grandes Duques, que aunque no los vimos mi padre dice que grandes, grandes, no serán mucho, que seguro que no son más grandes que Pau Gasol.

Otro día fuimos a un valle que tiene un montonazo de vides. Allí hacen un vino muy rico que se llama Mosela, como el valle mismo. Y estuvimos en dos bodegas. En una mi madre se bebió dos o tres copas de vino blanco y luego se puso un poco colorada y con los ojos brillantes.

Luego decía que se encontraba mal. Al final nos fuimos al hotel.

También fuimos de compras, aunque mis padres decían que allí las cosas son un poco caras, que como es uno de los países más ricos de toda Europa, los de Lux tienen mucho dinero. Pero, aun así, nos compramos algo.

Al final nos fuimos al aeropuerto y nos vinimos para España. Muy contentos. Adiós.

Firmado: Lu Mei (Teresa)

Adrià en Polonia

Saludos desde LOPIANO. ¿Que no sabéis dónde está LOPIANO? Normal, porque es un país escondido, misterioso, un país con el nombre en clave... ¡Ja, ja, ja!

Mi padre me ha enseñado un juego para que mi redacción sea muy original. Dice que se han caído algunas palabras y que, al recogerlas, se han revuelto. El juego consiste en ponerlas bien de nuevo. Las he escrito con mayúsculas para que sea más fácil y para que nadie piense que no sé escribir y que me equivoco y luego digo que es del juego.

Cuando leí el país que me había tocado no supe qué PRENSA, la verdad es que no me sonaba HUMCO. Yo creía que LOPIANO era el país de los LOPOS, que tenía el LOPO TRENO y el LOPO Sur. Luego pensé en polos de naranja y de limón, y luego en el waterpolo, que es un TREPEDO como el fútbol pero en una piscina; bueno, mejor dicho, como el balonmano. Aunque yo al principio creía que era comerse un helado haciendo pis. Claro, *water* y polo.

El viaje en NOVIA fue muy bueno; mi padre no se mareó, y eso que decía que nunca se montaría en ninguna SACO que volara. Llegamos al aeropuerto y, como mi padre dijo que ON se enteraba muy bien con los taxis, que eso de que cada uno fuese de un color no le gustaba, SEPU cogimos el autobús número 175 y llegamos al CORTEN de la ciudad.

LEGUO preguntando en inglés llegamos al hotel. Nos duchamos y nos cambiamos y comimos unos bocadillos en el RAB. Mi padre se pidió una cerveza y mi madre también, yo no. Luego nos fuimos a ver Varsovia, que es la PLATICA del país y una ciudad muy TINOBA.

Estuvimos en el Gran Teatro de la Ópera, en el CALISTOL Real, en el Palacio Belvedere, en un parque y en un ESMUO que se llama Museo

Histórico Nacional, donde vimos una película de aviones y bombas y guerras. Porque aquí, en Polonia, hubo una guerra muy DENGAR, la Segunda Guerra Mundial, y la ciudad quedó destruida, aunque luego la reconstruyeron.

Otra ciudad a la que fuimos se llama Lodz, que significa barco en español. Paseamos tranquilos y vimos un ANTENIOMUYTA muy bonito y un palacio, y luego fuimos a una calle con muchas terrazas y bares y tiendas y restaurantes. Entramos en un pub, que es como un bar de madera, que tenía más de cien tipos de cerveza diferentes. Nosotros nos pedimos un FERSECO de pera muy raro, pero no me gustó mucho porque me picaba la nariz.

También fuimos a Poznan, y visitamos un castillo que se llama Kornik. En un restaurante comimos el TOPAL nacional, que se llama *bigos*, con ‹‹b››, porque si fuera con ‹‹h›› sería higos, y eso es una fruta y no un TOPAL nacional de Polonia. *Bigos* es repollo con salchichas y carne.

La DIDUCA que me gustó mucho se llama Cracovia y está lejos de Varsovia. Allí paseamos mucho por el casco antiguo, que son las LESCAL más viejas. Estuvimos en la Catedral Wawel y en la Gran Plaza, que tiene dentro una lonja de pañería, que es un mercado donde venden cosas de turismo. Mi DERMA se compró un collar de ámbar. En esta plaza, en la TERRO de la iglesia, todos los días tocan una trompeta a las doce de la AMÑANA para que todos sepan la hora que es. A otras horas no la tocan porque a lo mejor no hace TAFLA que sepan que es otra hora. Fuimos a comer a un restaurante muy antiguo con armaduras y mi padre pagó con un montón de billetes de la DEMONA de aquí, que se llama zloty.

Al día siguiente vimos unas minas de sal que tienen unas escaleras de más de treinta SISPO y galerías con esculturas de LAS, de una LAS muy dura, no de la sal de las comidas.

Y ya cuando volvíamos para Varsovia, paramos en un monasterio para ver un RUDA-CO donde está la Virgen Negra, que es un cuadro que los polacos quieren mucho. Esto está en una DIDUCA que se llama Czestochowa.

También paramos en un sitio muy raro, un campo de concentración que se llama Auschwitz, que era donde metían a los prisioneros en la Segunda Guerra Mundial.

Mi madre dice que en APEURO hay cosas maravillosas como catedrales, puentes, palacios, bosques y ciudades. Pero que también existen cosas muy tristes, lugares horribles, y que ése era uno de esos sitios. Vimos a mucha gente rezando y a algunos llorando. Mi padre me dijo que abriera bien los ojos, y que no olvide, que no olvide nunca lo que aquí sucedió.

La última noche, en Varsovia, fuimos a un restaurante muy TINOBO para despedirnos. Yo no quería comer *bigos* y me trajeron macarrones con TETOMA.

Polonia me gustó mucho.

¿Habéis encontrado DATOS las soluciones?

ADRIÀ CABEZAS MELIÁ

Clara en Italia

¡Me encanta Italia! ¡Qué bien me lo he pasado!

La verdad es que tuve mucha suerte en el sorteo. Italia es el país que más me apetecía, porque en Italia se inventaron los macarrones y los espaguetis y las lasañas y los canelones y un montonazo de pasta más.

Al primer sitio que fuimos fue a Roma, que es como Amor, pero al revés. Dicen que es la Ciudad Eterna, que eterna es para siempre y desde siempre, y debe de ser, porque hay muchas cosas de siglos antiguos.

Estuvimos en El Vaticano, que es la ciudad del Papa. Tiene una plaza muy grande, una iglesia muy grande y una Capilla Sixtina muy grande y muy pintada. Los guardias tenían unos trajes muy graciosos, de colores, y con un sombrero chulísimo.

Comimos en un restaurante. Mi padre pidió fetuccini Alfredo (con crema y mantequilla); mi madre, espaguetis con atún fresco, y yo, macarrones con tomate. Luego, una ensalada de queso para los tres y, de postre, helado, yo de chocolate. Nos costó 87 euros.

Después fuimos a ver Roma. Estuvimos en el Castel Sant´Angelo, que es el castillo del Santo Ángel; luego en la Piazza Navona, que es la plaza Navona y tiene una fuente grande con estatuas. Después vimos el Panteón y dos iglesias. Nos tomamos un helado en la Plaza de España, y nos sentamos un rato en las escaleras a descansar y a ver la fuente. En la cena yo pedí macarrones con tomate. No me acuerdo cuánto pagamos.

Al día siguiente estuvimos viendo la Roma de los romanos dc las películas, aunque primero desayunamos bollos, leche y zumos. Me gustaron los Foros a pesar de que estaban muy rotos. Vimos el Arco, el Coliseo y nos hicimos unas fotos con un gladiador y un emperador. Luego nos sentamos y mis padres se tomaron un refresco y yo un helado de chocolate. También fuimos a un barrio que se llama Trastévere con calles pequeñas.

Comimos macarrones con tomate los tres porque era el menú del día, aunque tenían hierbas y no me gustaron mucho. Pero como también había calamares me los comí. Mi madre tuvo que pagar 45 euros.

Por la tarde vimos más plazas, y más tiendas, y un palacio y la Fontana de Trevi, donde tiramos una moneda de 20 céntimos. Había un montón de monedas dentro, porque dicen que quien tira una moneda vuelve a Roma. En una heladería de al lado pedimos un helado de espagueti, para probarlo, pero no nos gustó.

Ya no vimos más iglesias, paseamos un rato y nos fuimos al hotel, y allí cenamos. Mi madre se pidió alcachofas a la romana, que tienen menta; mi padre, tagliatelle, que son espaguetis gordos aplastados, con gambas, y yo me iba a pedir macarrones con tomate, pero mi madre dijo que ya estaba bien de macarrones. Me pidió espaguetis.

Al día siguiente nos fuimos en un tren hasta la ciudad de Florencia. Yo me dormí, y al despertar ya estábamos llegando. Comimos en la estación. Yo me pedí penne con tomate (que son macarrones con rayitas).

Por la tarde fuimos a ver el Duomo, que es la catedral, y la plaza y otras dos iglesias. Había muchas palomas y una se cagó en el bolso de mi madre. Nos comimos unos helados y vimos más plazas y un palacio. Cenamos en un restaurante muy pequeño con velas en las mesas. Mi madre pidió canelones con queso y albahaca, mi padre, una pizza de cuatro quesos, y yo, lomo con patatas. También nos pusieron un plato de mejillones; no me acuerdo cuánto pagaron.

Al día siguiente fuimos al Palacio Pitti y luego a la Galería de Ufizzi, que es impresionante, aunque había demasiados cuadros. Luego paseamos un rato por el centro y vimos el puente Vecchio.

Por la tarde nos fuimos en autobús a una ciudad que se llama Siena y vimos otro Duomo, otro Palazzo, otras iglesias y una plaza.

Yo quería otra pizza, pero mi madre dijo que ya estaba bien de pizzas y me tuvo que comer un filete de pollo con ensalada. Y nos volvimos a Florencia.

Al día siguiente fuimos en autobús hasta Venecia.

Venecia es muy rara. Las calles son de agua. Bueno, no todas, pero muchas sí. Los coches son barcos, y los autobuses son barcos, y las ambulancias y los taxis también son barcos.

Venecia es muy bonita, aunque hacía mucho calor y sudábamos mucho, sobre todo mi padre. Nos dimos un paseo por los canales y los puentes y las callejuelas y las placitas y luego nos tomamos un helado y mi padre estaba cansado y nos fuimos al hotel a Mestre. Mestre es otra ciudad que está al lado de Venecia.

Mi padre se acostó y mi madre y yo nos fuimos a cenar. Ella se pidió unos fetuccini con naranja y menta y yo, macarrones con tomate. Mi madre no me dijo nada. También nos pedimos un helado de chocolate y nos costó todo 39 euros.

Por la mañana nos fuimos a ver la Plaza de San Marcos y la Basílica de San Marcos y el Palacio de los Dogos y el Campanile. Había mucha gente y mi padre ya estaba bien, pero como llevaba pantalones cortos no le dejaron entrar en la basílica de San Marcos, pero como eran de esos de cremalleras, se puso las perneras y entramos. Después nos tomamos un zumo y fuimos al Puente Rialto y compramos regalos para los abuelos y los tíos.

Por la tarde cogimos un vaporetto, que es un autobús barco, y fuimos a la isla de Murano y paseamos y compramos cosas de cristal, porque el cristal de allí es muy famoso. Después montamos en otro vaporetto y fuimos a la isla de Burano, con «b», que tenía unas casas de colorines muy chulas.

Ya nos volvimos a Venecia y, como estaba anocheciendo, encendieron las farolas y mi madre dijo cuatro veces que qué bonito. Mi padre dijo que, como al día siguiente nos íbamos, que lo celebraríamos en un buen restaurante, pero luego vio los precios de dos y terminamos comiendo una pizza gigante para los tres. Nos costó 43 euros.

Al día siguiente llegamos a Milán y fuimos en el metro a ver el Duomo, que es una catedral muy grande con muchas estatuas. Luego vimos el teatro de la Scala, que es donde cantan óperas, y luego nos metimos en un restaurante muy pequeño y oscuro.

Mi padre pidió gambas y mejillones; mi madre, ensalada, y yo, macarrones con tomate. De postre nos trajeron un plato muy grande con siete bolas de helado y nata.

Luego nos fuimos al hotel y después hicimos las maletas y nos llevaron al aeropuerto y volvimos.

Me ha gustado mucho Italia, porque me gustan mucho los macarrones con tomate y los helados de chocolate.

Firmado: Clara.

Guillermo en Portugal

Me llamo Guillermo Rey y me ha tocado viajar con mi familia a Portugal. Aunque con el premio de Europa podíamos haber ido en avión, mi padre dijo que era mejor ir en coche, porque Portugal está aquí mismo, es más, es que tiene una frontera muy grande con España. Aunque ahora eso de las fronteras en Europa parece que ya no sirve para nada, porque todos somos de Europa. Ha sido un viaje estupendo, mis padres y mi hermano pequeño y yo nos lo hemos pasado muy bien. Hemos ido a Lisboa, a Oporto, a Coimbra, a Estoril, a Sintra, a Cascais, a Óbidos, a Nazaré, a Aveiro, a Albufeira y a más sitios. También hemos estado en dos ciudades con nombre muy gracioso, una se llama Faro y la otra, Braga.

Lo que más le ha gustado a mi padre es la comida, porque como le encanta el bacalao se ha puesto morado, ya que el bacalao es el plato más cocinado allí y lo hacen de muchas maneras.

Lo que más le ha gustado a mi madre han sido los mercadillos, porque hay muchas cosas para comprar. También le han gustado mucho los tranvías de Lisboa.

Lo que más me ha gustado a mí han sido las pastelerías, que hay un montón en todos los sitios y, como estábamos de vacaciones, hemos comido unos cuantos pasteles.

Lo que más le ha gustado a mi hermano ha sido una cosa que hay en Coimbra que se llama ‹‹El Portugal de los pequeñitos››, aunque en portugués se escribe ‹‹pequeninhos›› porque ellos no tienen nuestra ‹‹eñe››. Pues esto le ha gustado porque es un parque con unos edificios pequeños de todo Portugal en los que te puedes meter y pareces un gigante.

Y como la *seño* dijo que escribiésemos algo que fuese original, a mí se me ha ocurrido una poesía con las letras de Portugal:

***P**ortugal, que está aquí al lado,*
es un país algo alargado.
***O**porto le ha dado el nombre,*
no creo que esto te asombre.
***R**eyes ha tenido más de una vez,*
ahora es una república desde 1910.
***T**iene costas, pueblos, sierras...*
se parece a nuestra tierra.
***U**n vecino que acompaña,*
en la península ibérica, a España.

***G**astronomía estupenda,*
mucho dulce en la merienda.
***A** Brasil podrás viajar*
si portugués sabes hablar.
***L**isboa es su capital,*
y es muy linda, es genial.

Espero que les guste a todos los señores de la Unión Europea y a todos los niños y las niñas de Europa.

Firmado: Guillermo Rey.

Raúl en los países bálticos

Me llamo Raúl Estébanez Muñoz y voy a contar el viaje que hice con mis padres este verano, desde el 3 hasta el 10 de agosto. Estuvimos en los países bálticos.

A mí me tocaron tres por suerte, aunque luego la señorita me dijo que se alegraba mucho de que fuera yo el que iba a tres países. Sería porque yo hago muy buenas redacciones.

Mi padre, que es profesor de instituto, me dijo que fuese apuntando todos los datos que pudiera y luego hiciera la redacción. Por eso he apuntado muchas cosas, aunque ahora voy a escribir las más importantes.

Los países bálticos también se llaman repúblicas bálticas porque no tienen ningún rey y por eso son repúblicas. Y como tienen todas las costas en el mar Báltico pues por eso son bálticos. Sus nombres son Lituania, Letonia y Estonia.

Lituania es el más grande. Allí hablan lituano, polaco y ruso. Bueno, y también inglés. Los colores de su bandera son amarillo, verde y rojo. En Lituania juegan mucho al baloncesto y tienen muy buenos jugadores.

Letonia es un país más pequeño, pero poco, y está en el norte de Lituania. Su idioma se llama letón y su bandera es marrón, blanca y marrón.

Estonia es el más pequeño de los tres, y es el que está más al norte. Su idioma es el estonio y su bandera es azul, negra y blanca.

Cuando le conté todo esto a mi madre, se puso a reír y me dijo que vaya lío. Luego me dijo que a los de Letonia se les llama letones, a los de Estonia estonios y a los de Lituania lituanos, pero que sería mucho mejor que todos se llamaran igual.

Eso lo decía mi madre en el aeropuerto, para entretenernos, y por eso me despistaba y no podía contar todos los aviones. Se lo dije y ella me dijo que estábamos de vacaciones y que no tenía que contarlo todo y apuntarlo todo. Mi padre estaba leyendo una revista y no dijo nada. Por eso sólo apunté lo que me parecía que tenía que apuntar y no todo.

Llegamos a Vilna, la capital de Lituania. Por la tarde nos llevaron a ver el casco antiguo, que es el centro de la ciudad. Es el casco antiguo más grande de toda Europa. Vimos también la plaza Gediminas, con su catedral, la torre Gediminas y la iglesia de San Pedro y San Pablo.

Al día siguiente nos llevaron a Trakai, la ciudad del agua. Tiene un castillo en una isla en medio del lago Galve.

También vimos la ciudad de Kaunas, que tiene muchos museos. Tiene un museo del diablo, nada más y nada menos.

En la ciudad de Klaipeda vimos un museo acuario con una cantidad muy grande de peces. Hice una lista de todos los que había pero se me ha perdido, aunque había muchísimos.

En Letonia estuvimos en Riga, la capital, y allí vimos muchas esculturas y un castillo donde vive el presidente de la república de Letonia. También visitamos la catedral de Santa María, el mercado central, que a mi padre le gustó mucho, y la iglesia de San Pedro, que es toda de madera.

Fuimos al puerto de Liepaja donde comimos pescado con una salsa de mostaza que picaba mucho. Yo me tuve que beber tres cocacolas.

En Estonia estuvimos en la capital, Tallin, que también tiene un casco antiguo muy antiguo. Allí hay dos torres con nombres muy divertidos, una se llama ‹‹Margarita la gorda›› y otra se llama ‹‹Germán el alto››.

En el mercado vimos muchos vendedores que iban vestidos con trajes antiguos y sombreros elegantes; estaban en la plaza Raekoja.

Me gustó mucho el faro de Kopu y el castillo de Toompea.

Mi madre me dijo que Estonia tiene mil quinientos lagos y que el más grande se llama Pepsi, aunque creo que es una broma.

Como estábamos cerca, cogimos un barco hasta Helsinki, que es la capital de Finlandia, y luego cogimos un avión y volvimos a casa.

Y aquí termina la redacción de Raúl Estébanez Muñoz sobre su viaje a los países bálticos.

Fátima en Chipre

Me llamo Fátima y he estado en Chipre.

Mis vacaciones este año han sido dos. Estuve unos días en Marruecos, en casa de los abuelos, como siempre. Y luego fuimos a Chipre, con lo del premio de Europa.

Al principio mis padres no se lo creían. Pero cuando vieron la carpeta y luego hablaron con la *seño*, se pusieron muy contentos porque nosotros sólo vamos de vacaciones a Marruecos.

Yo soy española porque ya nací aquí, pero me encanta Marruecos, y ahora me encanta Chipre; a mi padre también le gusta Chipre porque dice que allí tampoco hace frío como en otros países del norte. También me encanta España. Ahora cuento lo de Chipre.

Primero tengo que escribir lo del juego. A mí me encanta el juego del escondite, porque como soy pequeña me escondo en cualquier sitio, y como Chipre está muy lejos y es pequeño, pues parece que está escondido. Por eso he hecho una redacción con escondite. Entre las palabras se han escondido once o doce animales y ocho o diez cosas que se comen. Por ejemplo, si yo escribo «Espera tonto», en estas palabras está escondido un ratón: Espe – ratón – to. Aunque también está escondida una pera: Es - pera. ¿A que es muy chuli?

Redacción del escondite en Chipre

El viaje en avión nos gustó mucho, porque nunca habíamos subido en un avión. Mi hermano Mohamed se movía mucho y se le cayó un zapato (en zapato está escondido un pato, y ya no digo más ejemplos). Mi padre decía que se mareaba, aunque no se pasó todo el tiempo llorando como Mohamed.

En Chipre fuimos a Nicosia, que es su capital. Nos llevaron en un autocar negro con una raya color oro muy majo. Luego nos dimos un baño en la piscina del hotel y comimos muchos platos diferentes. Luego nos fuimos a pasear por la calle y vimos iglesias pequeñas de color blanco y azul, y una mezquita muy grande que se llama Gran Mezquita y que está en el barrio turco. También hay una catedral grande y tiendas. Luego entramos en una cafetería, aunque Mohamed quería entrar por la ventana porque estaba abierta y había salido un gato. Mi padre se enfadó y dijo que las personas entran por las puertas. Y Mohamed, otra vez a llorar.

Mi madre toma té, y se pidió uno. Y mi padre, otro. A Mohamed le pidieron un zumo, no un refresco como él quería. Y otra vez a llorar.

Fuimos a una playa una mañana y nos bañamos y jugamos con la arena y el agua y la espuma de las olas. Luego comimos pulpo frito y ensalada. Y por la tarde fuimos a ver la tumba de la tía de Mahoma, el profeta.

Otro día fuimos a Limassol, otra ciudad, con un castillo y una mezquita, y a un pueblo y a otro castillo y a un montón de casas rotas en ruinas. Mohamed estaba cansado y quería irse a la piscina. Y mi padre dijo ‹‹como siga llorando este niño nos tendremos que ir››. Y nos fuimos.

Mi padre alquiló un coche y nos fuimos a Pafos, otro pueblo. Mi padre iba con miedo, porque en Chipre conducen por el otro lado, por lo de los ingleses, pero se acostumbró, aunque iba despacio.

Mi madre dijo que olía a mejorana y que era colosal y maravilloso estar de vacaciones. Mi hermano se mareó y vomitó en sus pantalones morados y ya las vacaciones no fueron tan maravillosas. Pero se quedó en bañador y nos bañamos.

También vimos un castillo y un puerto y, luego, una taberna donde no tuvimos que esperar. Comimos aceitunas y un queso con menta que se llama *halloumi* y un *gyro*, que es como un kebab. Mi padre dijo que encima de rica esa comida era barata.

Una cosa que me gustó es que vimos una tortuga toda llena de arena. En aquella playa jugamos y nos bañamos y mi hermano no lloró.

Por la noche paseamos un rato y comimos un helado de pistacho que me gustó mucho.

Luego nos volvimos a Nicosia, al mismo hotel, y nos bañamos.

Y cuando nos subimos otra vez en el avión, Mohamed se puso a llorar otra vez. Pero es que Mohamed es pequeño, sólo tiene tres años. Pero yo le quiero mucho.

A mí me ha gustado Chipre. A mis padres también y a Mohamed también, pero no sabe cómo decirlo.

Malena en Alemania

Alemania es el país que más población tiene de toda la Unión Europea y, seguro, que es el país de Europa y de todo el mundo en el que hay más alemanes. Y más perros pastores alemanes. Es muy conocido por su comida, las hamburguesas y las salchichas, aunque las hamburguesas también son las señoras de Hamburgo, que es una ciudad de Alemania.

Los señores alemanes más famosos son el músico Beethoven y los escritores de cuentos Grimm, que eran dos hermanos. Ahora tiene muy buenos equipos de fútbol y muy buenas fábricas de coches.

Para el juego de la redacción mi madre me ha dicho que me encargue de mandar todas las noches un mensaje con el teléfono móvil a mi tía, que quiere enterarse de lo que hay en Alemania en el acto. Aunque no es la mejor manera porque se escribe muy mal, sí es la más rápida.

Primer día: Volamos a Múnich. Vimos la iglesia de Nuestra Señora (Frauenkirche en alemán), que tiene dos torres y el techo de bulbos como cebollas. Vimos la Marienplatz (que es una plaza) y escuchamos su carillón y comimos en la cantina Hofbräuhaus, la más famosa del mundo.

Por la tarde vimos el museo de coches BMW, que a mi padre le encantó, y luego paseamos por la Odeonsplatz (otra plaza), que estaba llena de gente porque iba a haber un concierto.

Mensaje: Munich my bnito. Iglesias y plzas. Muxos museos. Bss d ls 3

Segundo día: Por la mañana fuimos hasta el castillo de Neuschwanstein, del rey Luis II de Baviera, que es muy bonito. En este castillo se fijaron para hacer el de Disneylandia. Luego volvimos a Múnich y comimos salchichas con chucrut y vimos el museo de la cerveza y nos fuimos al hotel. Del hotel al aeropuerto. Y volamos hasta Berlín, que es la capital de Alemania. Aunque antes era Bonn, pero es que antes había dos Alemanias y Berlín era la capital de la otra. Pero como ahora sólo hay una Alemania, pues Berlín es la capital.

Mensaje: Cstiyo prcioso. Museo crvza. Vmos Berlín. Bss d ls 3

Tercer día: Berlín es una ciudad muy grande y muy bonita. Tiene muchos museos, incluso tiene una isla de los museos. Después de desayunar fuimos a ver la Puerta de Brandenburgo, que es el símbolo de Berlín y de Alemania. Luego visitamos la catedral de Berlín, que es redonda, y el Reichstag, que es el Parlamento de Alemania. Luego comimos albóndigas y patatas en un restaurante giratorio que hay en la torre de la televisión en la Alexanderplatz. Se ve todo Berlín y más. Por la tarde fuimos a la isla de los museos, pero no entramos en ninguno porque son muchos y no teníamos tanto tiempo. Tienen cosas de civilizaciones antiguas como Egipto, Grecia y Roma.

Donde sí entramos fue en el Museo del Muro, porque antes había un muro que separaba las dos Alemanias y los de una Alemania saltaban el muro para ir a la otra, pero unos guardias no les dejaban y entonces se escondían en coches para pasar. Y en este museo se ven esas cosas del muro.

Luego fuimos al barrio Hackesche Höfe a ver patios y luego al hotel, para dormir, porque teníamos que madrugar.

Mensaje: Berlín prcioso. My grand. Muxos museos. Bss d ls 3

<u>Cuarto día:</u> Llegamos en un autobús a Hannover y seguimos un hilo rojo, que es una raya roja pintada en el suelo que te lleva hasta los monumentos. Después descansamos y comimos salchichas al curry, que pican un poco pero están muy ricas. Después vimos un castillo que se llama Leineschloss y luego mi padre me contó el cuento del flautista de Hamelín con sus ratas, sus niños y su flauta. Yo no le dije nada, pero ya me lo sabía. Es que Hamelín es una ciudad pequeña que está cerca de Hannover.

Mensaje: Hannover + pqña, pero bnita. Comimos Slxixas. Bss d ls 3

<u>Quinto día:</u> Otra vez madrugamos y nos llevaron a Düsseldorf, donde estuvimos poco tiempo y sólo paseamos un rato por el centro. Luego nos llevaron a Colonia, que se escribe Köln en alemán. Mi madre me dijo antes de llegar que Colonia era la ciudad que mejor olía del mundo, porque allí toda el agua era de Colonia. Pero no era verdad, Colonia olía igual que todas las ciudades de Alemania, a humo y a salchi-

chas. En Colonia vimos la catedral más grande de toda Alemania y el Museo del chocolate, que me gustó mucho. También vimos el Museo de aromas de colonia y queríamos ir al Museo del carnaval, pero ya no nos dio tiempo. En Alemania hay muchos museos.

Mensaje: Clonia my xula. Ktdral enorme. Museo xocolate. Muxos museos. Bss d ls 3

Sexto día: Desde Colonia nos fuimos a Friburgo, otra vez muy pronto, y en Friburgo vimos otra catedral. Pero luego nos fuimos al parque de atracciones Europark Rust porque yo estaba un poco harta de catedrales y cascos antiguos y museos. Nos montamos en una montaña rusa de agua que se llama Poseidón y que era de griegos. Y vimos dinosaurios de mentira y comimos salchichas. Las salchichas del parque saben diferentes. Bueno, todas las salchichas saben diferentes unas de otras. Unas me gustan más y otras menos.

Mensaje: Friburgo my xula. Prq de atraccions de agua. Bss d ls 3

Séptimo día: Otra vez madrugamos y fuimos a Stuttgart, que también tiene un castillo y un palacio con columnas y unas casas muy modernas. Aquí tuvimos un problema, mi madre y yo ya no queríamos ver más cosas, queríamos descansar, ir de tiendas y no hacer nada. Pero mi padre no sabía qué hacer, dudaba entre ir al Museo Porsche o al Museo Mercedes Benz. Lo echó a cara o cruz con un euro alemán y se fue él solo a ver el Museo Porsche. Nosotras nos comimos un helado y compramos camisetas.

Mensaje: Stugar my xula. Mxos museos. Bss d ls 3

Octavo día: Nos fuimos a Múnich y cogimos el avión y volvimos a España. Alemania tiene muchos museos.

Mensaje: Ya hmos yegado. Ns vemos n ksa. Bss d ls 3

Mario en la República Checa

Cuando le dije a mi padre que tenía que hacer una redacción sobre el viaje a la República Checa, me dijo que no me preocupara, que él me ayudaría. Pero mi madre dijo que la tenía que hacer yo solo y, encima, tenía que ser original, con juegos o poesías.

—Poesías —dijo mi padre—. Las haremos entre los tres.

Cuando llegamos a Praga, la capital, casi no nos dio tiempo de nada, porque enseguida nos llevaron a otro sitio que se llama Karlovy Vari, que tiene edificios muy elegantes y un palacio y un hotel, que es balneario, donde nos estuvimos bañando en una piscina de agua muy caliente. Luego, de vuelta a Praga, hicimos la primera poesía. Yo dije:

—*Karlovy Vari es estupenda.*

—*Y hemos tenido una buena merienda* —dijo mi madre.

—*¡Qué a gusto se ha quedado mi menda!* —terminó mi padre.

No nos gustó mucho, pero para ser la primera no estaba mal. Entonces decidimos que yo empezaría todas las poesías, mi madre seguiría y mi padre terminaría.

En Praga vimos muchas cosas. Primero el castillo, que es el más grande del mundo, porque tiene dentro la catedral de San Vito, la Torre Negra, la callejuela del Oro con casitas pequeñas y de colores, y una puerta de hierro muy grande y que al lado tiene dos estatuas de gigantes con unos palos que asustan un poco. Nos gustó mucho y cuando nos sentamos en un restaurante a comer hicimos otra poesía:

¡Qué grande es el castillo de Praga!
¿Y yo qué quieres que haga?
¿Y a los guardias quién les paga?

Tampoco nos gustó mucho y decidimos que todas las poesías que hiciéramos tenían que ser de cosas de la República Checa.

Luego vimos la isla de Kampa, que tiene cisnes y un molino y está al lado del río Vltava, que también se llama Moldava. Nos subimos en un barco y dimos un paseo viendo los edificios y monumentos de las orillas.

El puente Carlos es fenomenal, tiene un montón de estatuas y hay músicos y malabaristas. A mí me hicieron una caricatura sentado

que no me gustó mucho, pero mis padres estuvieron riéndose un buen rato. Fuimos a cenar a una taberna muy antigua, muy antigua, con quinientos años o así, que se llama *U fleku*, que significa ‹‹la flecha››. Mis padres bebieron cerveza negra y comimos salchichas y ensalada de patatas. Hicimos otra poesía:

En el puente Carlos hay muchos artistas.
Además tiene muy buenas vistas.
Eso lo saben hasta los tenistas.

Mi padre no lo estaba haciendo demasiado bien.

Al día siguiente vimos la plaza de la ciudad y el reloj astronómico, que tiene figuras que se mueven. Subimos a la torre y veíamos a la gente como pulgas. Luego vimos iglesias, una donde el músico Mozart tocaba el órgano, y un monasterio que se llama monasterio de Strahov. Me gustó mucho la iglesia de Tyn porque tiene unas torres que parece una casa encantada.

Por la tarde subimos en un funicular, que es un tren pequeño, hasta el monte Petrin, donde hay un observatorio y un laberinto de espejos. Menuda risa nos pasamos mirándonos de todas las maneras.

Como en el monte Petrin hay una torre Eiffel muy grande, mis padres dijeron que no sabían si estaban en Praga o en París. Como yo no he estado en París no dije nada, aunque sabía de sobra que la torre Eiffel auténtica está en París.

Por la noche fuimos a un teatro. Los artistas no hablaban, pero bailaban, y en el escenario proyectaban luces brillantes de muchos colores y sombras. ¡Fue fenomenal! Al salir hicimos otra poesía:

Me encantan las luces y las sombras.

Parece que no, pero esto te asombra.

Es verdad. Menos mal que si te caes hay una alfombra.

Fuimos a una ciudad que se llama Pilsen, que es donde inventaron una cerveza. Vimos una iglesia con la torre más alta de la República Checa, y el ayuntamiento y una sinagoga.

Otra ciudad que vimos se llama Brno, aunque se dice Breno. Allí había una casa muy moderna de un arquitecto muy moderno y un castillo y monasterios y conventos y casas antiguas. Pero no entramos en ninguna. Nos sentamos en un banco de un parque y compramos salchichas en un quiosco.

El último día que estuvimos en Praga vimos el barrio judío, en el que tienen unas cuantas sinagogas y un ayuntamiento con dos relojes, uno con números y otro con números judíos que va al revés.

Vimos un museo de miniaturas y una plaza enorme que se llama Plaza Wenceslao. Entramos en una iglesia en la que tocaban música clásica y nos sentamos un rato. Sonaba muy bien.

Compramos unas marionetas en la plaza vieja del reloj, una de un demonio y otra de un ángel, y les pusimos los nombres de Diablete y Angelote. Y lo último que hicimos fue la última poesía:

¡Qué bien lo hemos pasado!
¡Este viaje me ha encantado!
¡Qué pena que ya se ha acabado!

A la vuelta, en el avión, los tres decidimos que ya no íbamos a hacer poesías nunca más.

Javier en Holanda

En Internet escribí la palabra Holanda y salieron muchísimas cosas, las palabras que más se repetían eran tulipanes, canales, bicicletas y naranja. Estuve mirando un rato y leí esto:

‹‹Los holandeses son muy conocidos por su tolerancia y actitudes liberales.››

Mi padre dice que defienden mucho la libertad. Y como me ha tocado hacer una redacción de Holanda, la voy a hacer con mucha libertad y el juego va a ser de libertad precisamente. Algunas palabras van de dos en dos o de tres en tres, y hay que elegir. Algunas respuestas son tonterías, para reírse, pero otras no. Un ejemplo es decir que el queso/chorizo de Holanda es muy famoso. Hay que elegir entre queso y chorizo. Está claro que es el queso.

Nos subimos en un avión/monopatín de KLM en el aeropuerto de Barajas/Fichas y llegamos a Ámsterdam/Japón, que es la capital de Holanda.

Ámsterdam tiene calles/galletas y canales. En los canales hay casas flotantes, son barcos con macetas y bicicletas. Dimos una vuelta en otro barco por los canales y vimos casas estrechas y altas.

En Ámsterdam mucha gente va en bicicleta/tractor. Había una señora en bicicleta con un niño delante de ella, otro detrás y otro más atrás en un carrito. Una señora pedaleaba y viajaban cuatro. Mi padre le dijo a mi madre/abuela que podía llevarnos ella a los tres, mi madre se echó a reír y le dijo que prefería un coche/cohete a una bicicleta.

La casa más estrecha del mundo/barrio/país está aquí, es igual que la puerta de ancha.

Después de comer/merendar/cenar fuimos al Palacio Real y a ver la casa de Anna Frank, una niña judía que escribió un diario en la guerra.

Alkmaar está cerca y tiene un museo del queso. Y un mercado del queso, todos son redondos/cuadrados y los llevan unos señores con sombreros de paja en unas carretillas sin ruedas.

Edam es otra ciudad del queso. También tiene puentes/dientes pequeños que se levantan si pasan barcos por los canales.

En un autobús cruzamos por encima del dique que protege del mar a una parte grande de Holanda. Por eso también se llama Países

Bajos, porque está por encima/debajo del nivel del mar. Antes había muchas inundaciones del mar. Nos paramos en medio del dique y vimos el agua a un lado más oscura que al otro.

Al día siguiente fuimos a La Haya, que es donde vive la camarera/reina de Holanda. La ciudad tiene edificios y museos y un Tribunal Internacional muy importante. Pero lo mejor de La Haya es Madurodam, un parque de edificios en miniatura. Son edificios de toda Holanda y a su lado pareces un guisante/gigante, porque las casas te llegan a la rodilla.

En La Haya también está Scheveningen, que antes era un pueblo/circuito y tiene una playa con restaurantes.

Me gustó mucho que otro día fuéramos a Efteling, que es un parque de atracciones de cuentos de hadas y príncipes. Hay palomas rosas, azules y amarillas y las papeleras son muñecos grandes con la boca abierta.

Fuimos a un pueblo/teléfono sin coches que se llama Giethoorn, pero mi padre le decía Gijón. En este pueblo sólo puedes andar o ir en barca. Nos subimos en una barca/piedra pero se enredaron ramas en el motor y no se movía, mi padre se puso a gritar y decía que se hundía el Titanic; mi madre le regañó. Estuvimos un buen rato hasta que vinieron con otra barca y nos llevaron a la orilla.

Otra vez en Ámsterdam, entramos en el Rijksmuseum y vimos cuadros y cuadros, todos muy bonitos/elegantes, pero yo me cansé y me senté en el suelo y nadie me dijo nada. Sólo me sonreían.

Mi padre/piloto quería ir luego a ver el museo de Rembrand, pero yo no, y me fui con mi madre a un cine/mercadillo/puerto donde compramos bulbos de tulipanes. Como era verano ya no había tulipanes, que es la flor de Holanda y sale en primavera. Si plantas los bulbos en otoño salen los floreros/tulipanes en primavera.

Cuando vino mi padre, después de comer, fuimos a la fábrica de mermelada/cerveza Heineken, para verla, porque ni mis padres ni yo bebemos cerveza o cualquier otro tipo de alcohol.

Por la noche cenamos el pato/plato típico holandés, que es sopa de guisantes. Estaba muy buena pero muy espesa. Luego comimos muchos tipos de queso/chorizo y buñuelos.

También estuvimos en Haarlem, donde hay una calle/plaza grande con una torre de madera y el mercado de la carne, que está decorado con patas/cabezas de vacas y bueyes, aunque no hay carne, porque ahora es un museo.

Gouda es otra ciudad con canales y casas antiguas. Es famoso el peso/queso de Gouda, el de bola. Tiene un mercado donde compramos quesos de colores.

Delft es la ciudad de la cerámica. Tiene una iglesia muy grande. En una bicicleta/tienda compramos una casa de porcelana que en realidad es una caja para guardar galletas.

El último día ya no fuimos a ningún sitio porque el avión de KLM salía pronto.

Irene en Eslovenia y Eslovaquia

Esta redacción la he escrito ya en España, y he tenido que mirar unas cuantas cosas en un libro y en Internet. Me ha gustado mucho el viaje. Es muy bueno ir a otros sitios para conocer a otra gente y otras cosas como comidas, monumentos, parques y todo lo que haya en esos lugares. Por eso, si el año que viene los europeos hacen otro concurso, nos apuntaremos a ver si lo ganamos y vamos a visitar otros países, que seguro que mola mucho. Además, yo, como tengo mucha suerte, podré visitar otra vez dos países, porque sólo Raúl y yo hemos ido a más de un país.

Eslovenia y Eslovaquia son dos de los miembros más jóvenes de la Unión Europea.

Ingresaron en la ampliación más grande que hubo, cuando se pasó de quince a veinticinco miembros, en mayo de 2004. Y aunque estos dos países, para los que no los conocemos mucho y estamos algo lejos, parecen iguales, no lo son.

Por ejemplo, el nombre es muy parecido, es más, si alguien lo pronuncia despacio, despacio..., no se sabe a qué país se refiere hasta el final, porque las primeras cinco letras son las mismas.

Estos países tienen en común que son estados centroeuropeos que hace poco se separaron de otros territorios con los que formaban nacio-

nes más grandes. Eslovenia pertenecía a Yugoslavia, junto con Serbia, Croacia, Macedonia, Montenegro y Bosnia-Herzegovina, pero en 1991 consiguió su independencia.

Asimismo, Eslovaquia se separó en 1993 de la República Checa, con la que formaba Checoslovaquia.

Los dos son muy montañosos, con muchos bosques y una gran riqueza natural. Además, tanto a los chicos eslovenos como a los eslovacos les encantan las patatas fritas con ketchup y los videojuegos. También hay que decir que muy pocos eslovacos y menos eslovenos cantan flamenco.

Pero igual que tienen cosas en común tienen sus diferencias. Los eslovacos prefieren jugar al hockey sobre hielo y los eslovenos son grandes practicantes de balonmano y baloncesto. Bueno, el fútbol les gusta a todos, incluso a los argentinos.

¿Que Argentina no tiene nada que ver con Eslovenia y Eslovaquia? Vale, pero a sus habitantes el fútbol les gusta mucho.

Eslovaquia es del centro, centro, de Europa. Por lo tanto, no tiene mar. Eslovenia es del centro, pero no tanto, porque aunque su costa sea muy pequeña (mucho más pequeña que la de Alicante), por lo menos tiene unas cuantas playas en el Mar Adriático.

Tanto en Eslovenia como en Eslovaquia se pueden encontrar viejas y bellas ciudades, pequeños y deliciosos pueblos, antiguos castillos, bocadillos de salchichón y gente amable, aunque hablen en esloveno o eslovaco, que aun que tú no los distingas, ellos sí.

Por lo tanto, ya lo sabes: el país más agradable es... Es Eslo... Efectivamente, ése mismo.

Aquí termina la redacción de la reportera Irene en Eslovaquia y Eslovenia para todos los niños y niñas de Europa y del mundo.

Sofía en Grecia

Mi redacción sobre Grecia tiene un juego. Hay muchas letras, muchas vocales, que se han ido de vacaciones. Como allí se está tan bien se han quedado en las playas de las islas griegas de vacaciones, tomando el sol.

Grecia es un país de Erp. Atenas es su cptl. En Atenas hay muchos mnmnts, aunque son muy viejos y algunos están un poco rotos. Yo los vi todos con mis padres. La Acrópolis es una ciudad antigua y dentro tiene el Partenón, que es un tmpl de una diosa. También tiene el Erecteión, que es otro templo, con unas columnas de mujeres que se llaman Cariátides. Tiene el Odeón y un teatro muy antiguo. Tiene un museo. Tiene un pst de helados en la puerta y tiene vnddrs de postales y gorras.

En Atenas nos montamos en un trn turístico. Aunque hay muchos atascos porque hay muchos cchs. Luego fuimos a la plaza Sintagma, donde está el Parlamento grg y donde vimos a los soldados desfilar en el cambio de guardia. Llevan unos grrs con unas bolas que se mueven. Y llevan medias blancas. Me hizo mucha gracia prq van muy tiesos y parecen robots.

Mi padre quería ir al Museo Arqueológico, pero yo stb un poco harta de ver cosas de piedras y mi madre dijo que fuéramos a dar una vuelta y paseamos por el barrio de Plaka, que tiene muchas tiendas, con callejuelas pqñs y puestos de recuerdos. Compramos una estatuilla de un carro con un cbll que era de bronce.

En Atenas está el monte Licabeto, subimos a su cima en un funicular. Desde allí se ve toda la ciudad. Mi padre dijo que Atenas es muy bnt pero tiene mucha contaminación.

También vimos otra ciudad que se llm Corinto. Posee un canal por el que pasan los barcos para no dar toda la vuelta a Grecia. Mi madre compró una bls de pasas, dijo que las pasas de Corinto son las más fmss del mundo.

Otro sitio que vimos es Nauplia, que tiene una isla con un fuerte y un cstll en una montaña. Nosotros subimos en un taxi y luego bajamos ndnd y había más de ochocientos escalones, que mi padre los contó hasta que se perdió.

También estuvimos en Olimpia, que es donde se celebraban los juegos olímpicos de los antiguos. Allí hay muchas cosas: una palestra, un gimnasio, un santuario, un templo de Zeus y un estadio olímpico. Nos hicimos fotos en la línea de sld como si fuéramos atletas.

Mi mdr se compró un anillo de plata muy bonito y a mí me compraron una medalla como si fuese una cmpn olímpica.

Micenas es una ciudad muy antigua que tiene mrlls y una puerta con leones que no parecen leones. Tiene muchas tumbas de reyes y un palacio.

Tuvimos que cruzar en un barco con el autobús y todo, y llegamos a Delfos, que era donde vivían los dioses. Allí cerca está el monte Parnaso y hay un santuario y muchos templos (aunque están en ruinas) y columnas y un ttr y un museo y más cosas.

Volvimos a Atenas y nos montamos en un brc para hacer un crucero.

Dormimos en un camarote y por la mañana llegamos a una isla que se llama Mykonos y nos dimos una vuelta por el prt y nos sentamos a comer en una terraza con toldos, porque hacía mucho calor, pero de pronto se levantó un aire que casi se vuelan los tlds. El sombrero de mi padre salió disparado y se cayó al mar, al final nos metimos dentro del rstrnt.

Comimos una cosa muy rica que se llama *musaca*, que es como lasaña pero más rica, y de postre yogur grg. Claro, como estábamos en Grecia el yogur era griego, aunque también hay yogures griegos en España. Lo que no sé es si había yogures españoles en Grecia, yo no los vi.

Mykonos es una isla muy bnt, por la noche encienden las luces y parece una tarta de cmplñs con velitas. Me gustó mucho, pero nos tuvimos que subir otra vez al barco y nos fuimos a otra isla que se llama Patmos. Aunque estuvimos durmiendo por la nch y no llegamos hasta el día siguiente.

Patmos tiene pbls pequeños con casas pntds de blanco. Nos estuvimos bañando en una playita. Mi madre dijo que parecíamos reyes y mi padre dijo que parecíamos dioses, que es más que reyes. Nos lo psms muy bien.

En una taberna comimos pulpo a la parrilla y ensalada con aceitunas negras muy pqñs y que sabían mucho. También en la ensalada había un queso fuerte que se llama *feta.*

Por la noche volvimos al barco y al día siguiente llegamos a la sl de Creta, que es muy grande. En un autobús fuimos a Cnossos, que es el palacio del laberinto (una historia antigua de los dioses dice que había un laberinto con un minotauro, que es un bicho raro como un toro y un hombre a la vez). También fuimos a un monasterio y entramos en una iglesia con muchas velas encendidas. Olía muy bien. Mi madre dijo que aquellas velas eran de cera virgen y por eso olían tan bien.

Al día sgnt fuimos a la isla de Santorini, que es otra isla que antes era un volcán. Como no tiene playas hay unos acantilados grnds. También hay casas blncs y azules y mucha gente.

Nos comimos un *gyro*, que es como una pizza pqñ de carne enrollada y ensalada. Pero hay que tener cuidado porque si muerdes muy fuerte y aprietas se te puede salir el relleno por el otro lado.

Por la noche volvimos al brc y al día siguiente llegamos otra vez a Atenas. Tuvimos que ir a la embajada porque nos habíamos pasado de días y teníamos que coger otro avión. En la mbjd nos lo arreglaron todo y, como todavía teníamos todo el día, nos fuimos a pasear y por la noche cnms en una taberna donde la gente bailaba *sirtaki*, que es el baile griego. Comimos *dolmades*, que son hojas de parra con carne picada, y *kalamari*, que son calamares.

Al día siguiente madrugamos mucho para ir al aeropuerto. Yo me dormí luego en el avión y llegamos a España.

Las vacaciones de Sofía en Grecia.

Aarón en Dinamarca

Yo no tenía ni idea de Dinamarca. No sabía ni que era un país, y por eso le pregunté a mi padre. Mi padre me dijo que los de Dinamarca se llaman daneses y son todos vikingos y que van por ahí con sus hachas, sus trajes de piel y sus cascos con cuernos.

Pero mi madre dijo que eso era una tontería, que lo mismo los daneses pensaban que todos los españoles éramos toreros y que íbamos a trabajar con el traje de luces y los picadores con sus caballos y sus lanzas.

Luego estuve pensando un rato y me imaginé juntos a un danés, un vikingo, y a un español, un torero. ¡Pues seguro que el torero torea al vikingo, porque como tiene cuernos!

Nos fuimos a Dinamarca, yo prefería ir a Francia, al Eurodisney, porque a mí los monumentos me dan igual. Molan más los parques de atracciones, con sus montañas rusas y esas cosas. Un verano estuvimos en Port Aventura y flipamos.

Pues cogimos un avión muy grande y volamos a Dinamarca y llegamos al aeropuerto y en un autobús nos fuimos a una ciudad grande (Copenhague), que es la capital.

Allí vimos calles muy viejas y casas viejas (el centro, el casco antiguo) y luego palacios grandes que te pasas (los palacios reales de Amalienborg y Charlottemborg), y luego me tomé una cocacola y mi madre, una cerveza pequeña, y mi padre, una cerveza grande en una jarra que casi no podía con ella.

También estuvimos donde las barcas y las casas de colores (barrio de Nyvhan) y vimos a la sirenita, pero no es la misma de la peli de mi hermana pequeña, que se ha quedado en casa con los abuelos.

Mi madre me dijo que en Dinamarca había nacido un escritor de cuentos muy famoso (Hans Christian Andersen) y que esta sirenita es por él. Mi madre me contó que el cuento del patito feo ese es de este Andersen.

Mi padre quería ver un puente. Y fuimos. Decía que era un puente enorme de no sé cuántos kilómetros de largo, con una isla artificial y túneles y no sé qué más, y que llega hasta otro país (es el puente de Oresund que une las ciudades de Copenhague en Dinamarca y Malmö en Suecia).

Cogimos el metro, nos perdimos y luego comimos perritos calientes.

Cogimos un barco y fuimos a una isla que se llama casi como la mujer de Shrek (Fionia) y vimos otro castillo (Egeskov).

Otra ciudad que vimos se llama Odense, que mi padre decía que estaba en Galicia, pero mi madre dijo que ésta era Odense y que la de Galicia es Orense. Allí había una iglesia muy grande (catedral de San Canuto). El nombre me hizo mucha gracia y a mi padre también. Otra vez vimos casas viejas.

Y lo que más me gustó de todo fue el parque de atracciones de las fichas de construcciones Lego (Legoland, en la ciudad de Billund).

Bueno, no es que me gustara, es que me encantó, flipé. Mi madre cogió un papel (plano e información del parque) y me lo contó todo: tiene 58 millones de piezas.

Vimos el Oeste y la montaña de las caras de los presidentes (Monte Rushmore, EE UU, que tiene talladas las caras de cuatro de sus presidentes) y también hay un castillo con caballeros y una ciudad, indios de América y piratas, y una escuela de tráfico y un cine que se ve que no veas (Lego Studios), ¡flipante!

Yo no me quería ir del parque, pero me tuve que ir.

Luego fuimos a otra ciudad (Aarhus) que tiene un pueblo muy viejo (Den Gamble By o ciudad antigua, museo al aire libre con edificios históricos de toda Dinamarca), que tenía gente vestida de antigua.

Un museo que me gustó mucho fue el museo vikingo. Allí me compré una gorra con cuernos y cuando me la pongo parezco un auténtico vikingo.

Para despedirnos nos fuimos a comer a un molino de un bosque y mi madre se empeñó en que comiéramos salmón, y a mí no me gusta. Pero se puso pesada y lo probé y me gustó, pero el de aquí no me gusta.

Luego fuimos al centro y mis padres compraron recuerdos.

Al día siguiente cogimos un autobús, un barco, un taxi, un avión, otro taxi y otro autobús, y llegamos a casa.

Y Dinamarca me ha gustado más de lo que pensaba.

Aarón

NOTA DE LA CORRECTORA (la *seño*): Toda la información que figura entre paréntesis ha sido posible gracias a la madre de Aarón, una guía de viajes y un buen rato delante del ordenador, en Internet.

Lucía en Hungría

Cuando vine de Hungría con la libreta llena de apuntes y de cosas del viaje, estuve hablando con Adrià, que además de ir a mi clase es mi vecino, y él me contó lo que iba a hacer. Y me gustó mucho, y yo le dije que lo iba a hacer parecido. En vez de palabras desordenadas, yo voy a hacer frases desordenadas.

Como el viaje era de una semana fuimos a dos sitios. Llegamos volando a una ciudad, a la capital.

LLAMA SE CAPITAL LA HUNGRÍA BUDAPEST DE.

Budapest es una ciudad muy bonita, que son dos: Buda, que es una colina, y Pest, que es la llanura, y las dos juntas se llaman Budapest.

RÍO CRUZA EL DANUBIO EL POR MEDIO.

Y por eso nos dimos un paseo en un barco viendo todo Buda por un lado y todo Pest por el otro. Pasamos por debajo de unos puentes muy bonitos.

LAS ES MÁS EL CADENAS PUENTE EL FAMOSO DE.

Y también pasamos por debajo del Puente Margarita, que es menos famoso.

También nos subimos en el tranvía número 2, que iba al lado del río casi todo el rato. Vimos palacios y hoteles y el Parlamento.

Luego nos fuimos a Buda, y allí vimos el Palacio Real y la Iglesia Matías, que es muy bonita. Vimos un edificio gris que se llama El Bastión de los Pescadores y que parece un Exin Castillos, porque tiene torres y murallas desde las que se ven el río y la parte de Pest.

Comimos una comida que se llama *goulash* y es carne con patatas. Mi madre compró luego páprika para hacerla en casa. Páprika es pimentón.

Paseamos por una calle que se llama Vaci y que tiene muchas tiendas y ningún coche. Estuvimos cenando en un restaurante muy bonito, para llegar a él había que bajar por unas escaleras muy profundas. El restaurante se llamaba Verne y era como un submarino por dentro, porque hay una novela de Julio Verne ambientada en un submarino.

VIAJE NOVELA LEGUAS SE 20.000 LLAMA SUBMARINO LA DE.

Después fuimos a la casa de los vinos húngaros, pero allí no vivía ningún vino. Mis padres bebieron uno que decían que estaba muy rico.

MÁS *TOKAJ* LLAMA FAMOSO HÚNGARO VINO EL SE.

Entramos en un balneario de un hotel muy bonito. Se llama Hotel Gellert y dentro tiene unas piscinas cubiertas y otras al aire libre. Nos pusimos en la cabeza unos gorros de plástico para que no se nos mojara el pelo. Era fantástico, muy bonito, con columnas y estatuas y un león que soltaba agua por la boca y tú te ponías debajo y el chorro te hacía cosquillas.

Salimos y nos comimos unos pasteles y fuimos a una fábrica de licores que tenía muchas botellas.

Por la noche subimos en otro barco y cenamos viendo las luces de la ciudad.

También vimos el edificio del Parlamento, que es muy grande y parece un puzle.

Fuimos a otro balneario en medio de un parque, que tiene un nombre muy difícil. Se llama Széchenyi y tenía una piscina con chorros que te llevaban de un lado para otro. Mi padre dijo que eso era de ricos, que ¡vaya maravilla!

SALÍA EL DEL VAPOR CALOR AGUA POR.

En el parque vimos casas de pueblos de Hungría, unas estatuas de guerreros y una escultura de uno que está escribiendo y no se le ve la cara. Debajo, en un letrero, ponía «Anonymus».

Por el río Danubio, en otro barco, fuimos a un pueblo que se llama Szentendre, que tenía casas regionales y molinos. En otro sitio, que se llama Visegrád, vimos un palacio y una pelea entre caballeros.

Y por allí cerca también vimos tres castillos más, pero no me acuerdo de los nombres.

Después viajamos en autobús hasta un hotel cerca del lago Balatón.

EL DE GRANDE EL ES HUNGRÍA MÁS BALATÓN LAGO.

Es tan grande que lo llaman ‹‹El mar de Hungría››.

Estuvimos una mañana entera tomando el sol y bañándonos y montando en unas bicicletas de agua. Mi padre se cayó tres veces y estuvo un buen rato escupiendo agua, por eso la dejó antes de tiempo.

Por allí cerca vimos varios pueblos. Estuvimos en un pueblo que se llama Felsóors y que tiene casas de color rojo, blanco y negro. Todas de piedra.

En otro sitio bebimos agua buena para el corazón y paseamos debajo de unos árboles plantados por personajes famosos.

ÁRBOLES TAN SE TILOS LLAMAN ESOS CHULOS.

Y ya nos vinimos.

GUSTADO ME MUCHO HUNGRÍA HA. LUCÍA. FIRMADO:

Irina en Malta

Cuando les dije a mis padres que habíamos ganado un premio en el colegio se pusieron muy contentos, pero cuando se enteraron de que el premio era un viaje por Europa no les hizo mucha gracia. Y cuando vieron que teníamos que ir a Malta no sabían qué pensar. Mis padres son ucranianos y han viajado mucho, han estado en cuatro o cinco países de Europa, pero siempre trabajando. Yo ya he nacido en España y, aunque he ido dos veces a Ucrania, me gusta mucho viajar.

Luego, cuando les expliqué lo del viaje y vieron los papeles, se animaron mucho y les gustó la idea porque no pensaban ir de vacaciones a ningún sitio. Aunque, claro, de Malta no sabían casi nada, y yo tampoco.

Me fui con mi madre a la biblioteca y estuvimos mirando unas guías de Malta y, luego, hicimos la redacción (porque la *seño* dijo que nos podían ayudar nuestros padres), aunque casi toda la hice yo, porque mi madre, que es muy buena cocinera, hablaba mucho de comidas.

Malta es un país pequeño, un archipiélago en medio del mar Mediterráneo, un lugar que a alguno podría parecerle insignificante, poco importante. Si hasta tiene una isla que se llama Comino, que, cómo no, es la más pequeña de las tres.

Ya veis, comino, algo tan pequeño, tan poca cosa. Si hasta se utiliza la frase hecha «me importa un comino» para decir que algo no te importa nada de nada.

Las cosas pequeñas, como las especias, parece que no sirven para mucho. ¿Pero qué sería una pizza sin orégano? ¿Y un arroz con leche sin canela? ¿Y unas patatas fritas sin sal? Hay un montón de especias que, aunque son pequeñas, le dan sabor a la comida y a la vida.

Como por ejemplo el clavo, el clavo es una especia muy importante. Además de su sabor y de su olor, sirve para otras cosas...

Existe una antigua historia que dice que por un clavo se perdió una herradura, por una herradura se perdió un caballo, por un caballo se perdió un caballero, por un caballero se perdió una batalla, por una batalla se perdió una guerra, y por una guerra se perdió un país, y era un país grande, grande, mucho más grande que Malta. Aunque claro, la mayoría lo son. Y como las naciones grandes saben de la importancia de las pequeñas, sobre todo si están situadas en buenos lugares, como Malta, pues ¡hala! Todos a por la pequeñaja. Por Malta han pasado, a lo largo de la historia, un montón de pueblos: fenicios, griegos, cartagineses, bárbaros, romanos, árabes, franceses, tres suecos y dos daneses que se perdieron, españoles e ingleses. Estos últimos han sido los que más influencia han tenido, pues en Malta se conduce por la izquierda, como en Gran Bretaña y, junto con el maltés, el idioma oficial es el inglés.

La capital es La Valleta, que se pronuncia valeta. No os confundáis y digáis galleta, que estaría feo. Sus ciudades tienen nombres muy curiosos como Birkirkara, Qormi, Hamrun o Zabbar.

Como tiene un clima cálido y una costa estupenda, mucha gente va de turismo. Así que ya sabéis, en Europa hay países grandotes y otros más chiquitos, pero todos tienen su gracia.

Todo esto lo escribí antes de irnos. Cuando volvimos lo leí y me pareció suficiente porque allí vimos una ciudad, unos museos, unos parques, un puerto, unos pueblos, unas cuantas iglesias, hicimos una excursión en un barco y estuvimos bañándonos en las playas y comiendo helados y pescado casi todos los días.

Por eso nos ha gustado mucho y, como dijo mi madre unas mil veces, ya nos merecíamos unas vacaciones así.

Firmado: Irina.

Marta en Irlanda

De: beguitor@telefonica.net
Fecha: 17/08/2008 16:31
Para: nievescolegio@telefonica.net
CC:
Asunto: Redacción de Marta en Irlanda

Hola, *seño*. Soy Marta y estoy en Irlanda, en el aeropuerto. Llevamos aquí mucho rato, dos o tres horas, y todavía nos queda. Es que está lloviendo mucho y se ha inundado no sé qué y los aviones todavía no pueden despegar. Como había un niño aquí cerca que es español y va en el mismo avión, nos hemos puesto a jugar y nos hemos hecho amigos. Le ha pedido el ordenador a su padre y hemos estado mandando *e-mails*. Y mi madre me ha dicho que aprovechara y mandara la redacción del viaje y por eso la mando.

Mi viaje a Irlanda, por Marta.

De Irlanda lo que más me ha llamado la atención ha sido ver que todos los coches van al revés: no van por la derecha y no tienen el volante en la izquierda, sino en el lado derecho. Por eso yo voy a escribir algunas palabras al revés.

En el otreuporea yo estaba un poco mareada, mi madre decía que nerviosa, porque yo nunca había montado en nóiva y no sabía lo que era.

Luego ya se me pasó, una azafata me dio un zumo de ajnaran y me sonrió muchas veces.

Cuando llegamos nos pusimos muy contentas. Mi madre nunca había estado en Irlanda y yo acnun había estado en Irlanda.

Nos llevaron en un coche que iba por el otro lado de la areterrac, pero allí en Irlanda es lo normal. Llegamos al hotel. Como mis padres están separados, íbamos sólo mi erdam y yo y nos dieron una habitación para las dos. Y ya estábamos en Dublín, que es la latipac de Irlanda.

Nos bajamos a dar una vuelta y mi madre se tomó un té en una tetería y yo un etalocohc. Luego ya nos fuimos al letoh.

Cuando salimos al día siguiente yo llevaba mi cuaderno y nos fuimos a ver monumentos. Dublín tiene muchos: una catedral con una cripta (una iglesia muy grande con un cementerio pequeño en el sótano), una Casa de Aduanas, el ollitsac de Dublín, un puente que se llama Ha´ Penny, un Trinity College (que es un colegio de universidad muy grande y muy antiguo como el de Harry Potter) y tres parques (uno es muy grande y tiene vacas, ciervos y sollabac paseando por allí tan tranquilos).

También estuvimos en el almacén Guinness, que es de cerveza. Mi madre se bebió una cerveza negra añeuqep con una espuma blanca y compramos una gorra negra de cerveza negra Guinness.

Otro día vimos la bahía de Dublín y nos llevaron a dos pueblos de pescadores que se llaman Malahide y Howth. Como llovía mucho mi madre me compró un chubasquero edrev, que es el color de Irlanda, y ella se compró otro rojo, pero enseguida dejó de llover.

Por la tarde vimos un pueblo antiguo que se llama Glendalough y que tiene muchas iglesias antiguas con torres y con lagos. Como llovía otra vez no estuvimos mucho tiempo.

Después nos fuimos a Kilkenny y veíamos verde, verde, verde por todos los lados. Irlanda es un país muy verde. Luego nos fuimos a Waterford, que es la ciudad de los vikingos. Mi madre se compró dos vasos de cristal que brillaban mucho.

La ciudad de Cork me gustó mucho porque tiene un oesum de la mantequilla. También tiene una catedral y unas mazmorras con personajes históricos. Nos hicimos una foto como si fuéramos presas, con la cabeza y las manos dentro de una madera que las apretaba: un cepo.

Luego fuimos a Limerick, que tiene un río muy ednarg que se llama Shannon y que es el más grande de Irlanda. Estuvimos en un museo y en un castillo. En Irlanda hay castillos por todos los lados.

Otro día fuimos a Galway y montamos en un barco y comimos pescado frito con patatas fritas. Estuvimos mucho tiempo en un mercadillo muy bonito que tenía cosas muy chulas. Nos compramos una arrog cada una. A mi madre le gustan mucho las gorras.

Y ya nos volvimos a Dublín y la última ehcon paseamos un poco por el centro.

Irlanda en muy bonita y lo hemos pasado muy bien. Ahora sólo estamos esperando a que los aviones puedan salir y nos volvemos. Espero que este *e-mail*-redacción llegue a la *seño* lo antes posible.

Firmado: Marta Corrato Rubio.

Naila en Finlandia

Finlandia es el país situado más al norte de la Unión Europea, una cuarta parte se encuentra por encima del Círculo Polar Ártico. ¡Qué frío! En este territorio tienen, en verano, unas diez semanas seguidas de sol, y en invierno, unos cincuenta días seguidos sin sol. ¡Qué buenas farolas deben de tener!

Aquí hace un frío considerable, bueno, no, hace un frío espantoso. Y para mí mucho más, que provengo de Costa Rica. Pero a los finlandeses no parece importarles mucho, sobre todo porque tienen un invento único (aunque luego se lo han copiado los demás países): la sauna.

La sauna finlandesa es un baño de vapor seco, que puede alcanzar temperaturas de 90 grados o más. Casi todas las cabañas y muchos edificios tienen sauna, que, además de dar calorcito, les sirve para relajarse, tonificarse y charlar un ratito de sus cosas.

Finlandia tiene muchos bosques, mucha naturaleza. Por eso algunos le llaman el país de los mil lagos. Bueno, eso dicen, aunque lo que quieren decir los que dicen eso es que tiene muchos lagos, porque seguro que mil exactamente no tiene.

Mi madre me ha dicho que Finlandia destaca por ser uno de los estados en los que la igualdad de género está más avanzada. Es decir, donde los hombres y las mujeres son tratados a todos los niveles por sus méritos y sus capacidades y no por su sexo. Actualmente, la presidencia de la república la ostenta una mujer: Tarja Halonen.

Voy a hablar del personaje más famoso, el más conocido, el más universal de Finlandia, que es... ¿No lo sabes? Pues adivínalo, he hecho una adivinanza y él mismo te va a dar unas pistas:

Vivo muy cerca del Polo,
pero yo nunca estoy solo.
Pues hay muchos duendes enanos
que me echan una mano.
Y aunque hace mucho frío
yo casi siempre me río.
Mi nariz es colorada,
pero no me pasa nada.
Traje rojo y botas negras,
cuando me ves tú te alegras.
En mi gorro hay una bola

que no veas cómo mola.
Un vehículo elegante
es mi trineo volante.
Pues lo mueven mis seis renos,
ni uno más ni uno menos.
Sólo tardo un periquete
en llenarlo de juguetes.
Y por el cielo viajo
sin costarme gran trabajo
Voy de ciudad en ciudad
cuando llega Navidad.
Y llego hasta donde sea:
hasta un pueblo o una aldea.
Para que nadie me vea
bajo por la chimenea.
A todos dejo regalos
si es que no han sido muy malos.
Y me voy rápidamente.
Volveré al año siguiente.
Sí es, no es, sí es, no es...
Papá no es, Papá sí es, Papá no es...
Pues sí, es...

Firmado: Naila

Marcel en Bélgica

Me llamo Marcel y me tocó Bélgica. En el aeropuerto estuvimos esperando mucho tiempo, el avión tenía retraso. Una chica que estaba sentada a mi lado —era una chica mayor, de dieciocho años o así— me preguntó que si iba a Bruselas. Le conté lo del premio y ella me dijo que Bélgica es muy bonita, pero que algunos se lían un poco con los idiomas. Porque en el norte hay flamencos que hablan flamenco o neerlandés y en el sur hay valones que hablan francés. A mí me hizo mucha gracia lo de los flamencos y los valones y le dije que los pájaros y las pelotas pueden hablar como quieran, que yo soy de Menorca y allí hay gente que habla castellano, otros catalán, otros mallorquín, otros menorquín, algunos menorquín del sur, de Mahón, y otros menorquín del norte, de Ciudadela. Y no pasa nada: si la gente quiere, se entiende.

La chica me sonrió y me despeinó, luego me preguntó si sabía inglés y yo dije que un poco.

En el avión estuve pensando en esta redacción. Y pensé que, como iba a un sitio con varios idiomas, y como vengo de un sitio con varios idiomas, plantearía un juego en el que deje palabras en blanco y el que lo lea que lo complete como quiera. Pero que se entienda.

Llegamos a Bruselas, que es la ——— de Bélgica, y también es la capital de la Unión Europea y de la OTAN. En el hotel subimos nuestras ——— y nos duchamos y bajamos y comimos una cazuela muy grande de mejillones y patatas fritas en un restaurante de allí cerca.

Luego nos fuimos a pasear y llegamos a la Grand Place, que es una —— muy grande, con ——— casas, muchos cristales, —— gente, muchas puertas, muchas ventanas, muchos puestos de ——— fritas, muchas torres y muchas columnas. Es muy bonita.

Hay una casa que tiene colgado fuera un barril de cerveza. Es un museo de cerveza. Entramos y lo vimos y mis ——— la probaron. Ya se hacía de noche y fuimos a ver el Manneken Pis, que es una estatua de un niño haciendo pis. Está en una esquina. Dicen que es el símbolo de Bruselas. ¡Pues vaya símbolo!

Entramos en un restaurante a cenar y mis padres hicieron una cosa muy graciosa. Pidieron lo mismo pero cada uno en un ———, creyendo que pedían cosas diferentes, pero es que los platos venían escritos en cuatro o cinco idiomas. Nos estuvimos riendo un buen rato.

Volvimos a la Grand Place para verla de noche, iluminada. Parecía otra, muy chula. Nos compramos un gofre con nata para los tres porque mis padres siempre lo quieren probar todo.

Al día siguiente vimos la catedral de Saint Michel, las galerías Saint Hubert, palacios, teatros y un reloj con doce estatuas de hombres que se movían y tocaban una campana. En un ———— pequeño comimos un *plate du jour*, el plato del día, que es más barato. Mejillones y ——— fritas.

Estuvimos en el museo del cómic con los pitufos y Tintín.

Otro día fuimos a un parque que tiene un pabellón chino y el Atomium. El Atomium es una molécula gigante de cristal de hierro, pero es de aluminio, y se puede ——— por dentro. Son bolas con pasillos y de lejos parece un juguete.

Entramos en un parque que se llama Mini Europa y tiene edificios de toda Europa, había una plaza de toros de España.

En el metro vimos unos astronautas colgados encima de las vías, y en otra estación, una pintura enorme.

Amberes es otra ——— que está en Flandes, donde los flamencos. También tiene una plaza ———, que aquí se llama Grote Markt y tiene casas con nombres muy curiosos. Hay una que se llama ‹‹Cierra tu bocaza››.

Tiene un castillo con dos museos y una catedral muy grande con una torre de 135 metros de ———. En Amberes hay una casa blanca y roja, que me dijeron que era de los carniceros. Lo rojo es de la —— y lo ——— del tocino. Estuvimos en un teatro de marionetas. No entendí muy bien lo que decían, pero me gustó mucho.

Otro día vimos Lieja, con su palacio con muchas columnas y un montón de iglesias. Hay un monumento que se llama Perron.

Otra vez en Bruselas fuimos a un mercadillo y no ———— nada. Por la tarde nos llevaron a una ciudad que se llama Gante, que es donde nació un rey español muy importante, nada menos que Carlos I. En Gante también hay una catedral con un dragón de cobre en lo alto que se mueve con el viento, porque es una veleta. Hay un castillo y un río con casas a los dos lados. Aquí nos hinchamos de patatas ——— con salsas. Por la noche están las luces muy bonitas.

Al día siguiente nos fuimos a Brujas, que es una ciudad con canales de ——— que tienen barcas. Es muy bonita, con árboles y parques, pla zas y museos. En la Grand Place a las dos de la tarde hay un carillón con cuarenta y siete campanas que suena. Después de escucharlo, todos los belgas se van a comer mejillones. Nosotros comimos conejo a la cerveza, que no sabía a ———, aunque mis padres sí que bebieron cerveza, para probarla.

Entramos en una chocolatería y nos enseñaron cómo hacen el ——— y los bombones. Olían muy bien y sabían muy bien. Compramos muchas cajas de ——— para los abuelos y los tíos y los amigos y la *seño*, porque en Bélgica hacen chocolate muy bueno y muy famoso en el mundo entero.

Bélgica es pequeña, como ———. Y hablan varios idiomas, como en Menorca, pero todos se entienden, como en Menorca. Es preciosa, como Menorca, y me ha gustado mucho, pero me gusta un poco más Menorca.

Firmado: ———

Miguel en Francia

A mí me gustó mucho que me tocara el viaje, porque este año no sabíamos dónde íbamos a ir de vacaciones, porque mi padre ya estaba harto de ir siempre a la playa, y quería ir a algún sitio original, nuevo. Mi madre quería ir a la playa, pero cuando se enteró de que podíamos visitar Francia totalmente gratis cambió de idea y empezó a decir que lo que más ilusión le hacía en el mundo era ir a París. Mi padre me miraba y sonreía y yo le miraba y sonreía, y los tres sonreíamos. Yo tenía la idea de que Francia era un país muy bonito, con ciudades preciosas, con castillos y pueblos antiguos, pero no sabía cómo hacer una redacción para explicar todo lo que cabe en un país tan grande y, como dice mi madre, con tanta historia y tantas calles y tiendas.

Y la verdad es que fue alucinante. Me gustó mucho el Futuroscope, que es un parque de atracciones del futuro y que está en la ciudad de Poitiers. También me gustó el Parque Astérix, que es donde están los personajes de Astérix el galo, unos comics que a mis padres les gustan tanto que tienen toda la colección. Mis padres sí que se lo pasaron bien allí, conocían a todos los personajes y lo que cada uno hacía. Luego fuimos también a Eurodisney, que es una maravilla, aunque mi padre se quejó varias veces de lo caro que era todo.

En cuanto a la redacción, como no sabía cómo hacerla, mi madre me dijo que fuera apuntando todas las palabras francesas que quisiera, los sitios que visitamos —ríos, ciudades…—, los nombres de personajes franceses, las comidas típicas y todo. Pero dentro de la lista he metido los nombres de tres comidas italianas, dos ciudades de Alemania y un río español. Hay que encontrarlos todos, las demás palabras están todas relacionadas con Francia.

París, Bizet, Zidane, Platini, Lacoste, Roland Garros, Voltaire, Pascal, Marqués de Sade, Sena, macarrones con tomate, Loira, Alpes, Pirineos, Mont Blanc, Provenza, Alsacia, Lorena, Normandía, Bretaña, Concorde, libertad, igualdad, fraternidad, Estrasburgo, Burdeos, Orleáns, Córcega, Colonia, Montpellier, Limoges, Le Mans, Tours, Perpiñan, Borgoña, Toulouse, Niza, Marsella, Avignon, Versalles, Champagne, Martinica, Guayana, Vercingetórix, Carlomagno, Luis XIV, Richelieu, mosqueteros, Robespierre, Juana de Arco, Napoleón, Maria Antonieta, De Gaulle, Hamburgo, Pompidou, Miterrand, Chirac, Sarkozy, Alejandro Dumas, Proust, Sartre, Perrault, Marguerite Durás, espaguetis, Saint Exupery, Víctor Hugo, Camus, Voltarie, Moliere, Rousseau, Montesquieu, Balzac, Astérix, Obélix, Ampere, Marie Curie, Delacroix, Renoir, Ebro, Rodin, Toulouse-Lacroix, Gauguin, Cezanne, Pisarro, Monet, Manet, Saint Tropez, Matisse, Hermanos Lumiere, Citroen, Peugeot, Renault, pizza, Tour, Torre Eiffel, Louvre, La Sorbona, foie gras, croissant, Ratatouille, crepes, caracoles, bullabesa, queso roquefort, petanca, el pequeño Nicolás, Chanel número cinco, Revolución, Enciclopedia, Galia, gendarme, Campos Eliseos, Caperucita Roja...

...Y tortilla francesa.

P.D.: Los cruasanes franceses son los más ricos del mundo (bueno, más ricos que los nuestros porque tampoco conozco muchos más).

Firmado: Miguel en español
Michel en francés

Nerea en Rumanía

Me llamo Nerea Agra y ésta es mi redacción del viaje a Rumanía.

Para ir a Rumanía hay que coger un avión y volar un rato grande y llegar a Bucarest, que se llama Bucuresti en rumano.

La ciudad de Bucarest
la capital de Rumanía es.

En Bucarest hay muchos monumentos. Un Parlamento muy grande, que antes era la Casa del Pueblo, pero debía de ser un pueblo muy grande porque tiene seis mil habitaciones, y digo yo que si en cada habitación pueden dormir dos personas, sería un pueblo de doce mil personas.

Hay un Arco de Triunfo como el de París y unas calles muy largas y muy grandes. Hay un Museo de la aldea al aire libre en donde están representadas las casas de toda Rumanía.

Hay muchas iglesias ortodoxas, que yo no sé lo que es ortodoxo ni ortodoxa, pero tienen muchas velas que huelen muy bien y son pequeñas.

La gente enciende las velas,
sobre todo las abuelas.

Hay también una plaza romana con una loba y dos niños mamando.

Hay muchos edificios muy bonitos y una cosa que se llama Caravanserai, que es como un hotel muy antiguo donde hace mucho paraban las caravanas. Tiene un patio y terrazas.

Hay un restaurante muy bonito, que se llama Carul Cubere, donde fuimos a cenar.

Y me comí un bocadillo
con pan y queso amarillo.

En un tren nos fuimos a la ciudad de Constanza, que tiene playa, catedral ortodoxa, iglesia evangélica y mezquita. Vimos los monumentos por fuera y nos fuimos a la playa.

Me bañé en el Mar Negro.
Lo recuerdo y me alegro.

También estuvimos en Brasov, que es otra ciudad muy antigua.

Brasov en fenomenal,
es vieja, es medieval.

Hay una catedral, que se llama Iglesia Negra. Hay una torre del reloj y una plaza con cuadrados en el suelo. Nos comimos un plato de carne que sabía mucho a ajo. No me gustó mucho, pero a mis padres sí. Además, decían que el ajo es bueno contra los vampiros.

Aunque un vampiro sea majo
se asusta si huele a ajo.

Hay cerca un castillo que fuimos a ver. Se llama castillo de Bran, pero es el castillo de Drácula, del conde Drácula. Estuvimos viéndolo por dentro y había algunos sitios que daban un poco de miedo. Mis padres se reían de mí porque ellos habían comido ajos y sabían que no les iba a pasar nada.

El sótano del castillo
daba algo de miedillo.

Me compraron una camiseta de Drácula en una tienda y luego fuimos a comer bocadillos. Yo pedí con ajo, pero no había y me comí uno de queso.

Hay otra ciudad que se llama Sibiu y también tiene una parte vieja medieval. Vimos un monasterio con un nombre muy raro que no recuerdo, pero que me gustó mucho. Mi madre leyó en un libro que hay muchos monasterios.

Cuando ves un monasterio
notas algo de misterio.

Al final volvimos a Bucarest la última noche. Y para despedirnos fuimos a un restaurante muy chulo. Mi padre se puso la chaqueta y la corbata. Mi madre, el traje verde, y yo, mi vestido azul. Había música porque un violinista tocaba el violín.

Fue la última cena
y estaba muy buena.

Aunque luego mi padre estuvo quejándose un rato del precio y de que no era tan barato como le habían dicho. Y ya nos fuimos al hotel y al otro día, al aeropuerto, y nos vinimos.

Rumanía es maravillosa
y mi madre y yo somos preciosas.

Firmado: Nerea Agra

Alba en Croacia

Hola.

Como mi madre dice que soy un poco vaga y yo digo que no, que soy tranquila y, como encima había que hacer un juego de palabras, yo he cambiado algunas palabras por números, que se tardan menos en escribir. Cada número es una palabra, y eso es lo que hay que averiguar. Si no lo conseguís, al final está la solución (para que mi madre diga que soy vaga). Bueno ya empieza la redacción-juego.

Me llamo 1 y me tocó 2. Cuando les dije a mi 3 y a mi 4 que íbamos a 2, mi 4 dijo:

—¿2? ¡Qué 5!

Y mi 3 me miró muy seria y me dijo:

—A ver, 1, explícate.

Y 1 me expliqué:

—Pues claro que es gracioso. En un concurso del cole nos ha tocado un viaje. Un viaje a 2.

Mi 3 y mi 4 solo conocían algunos deportistas famosos de 2. Yo les tuve que contar lo de la 6 para que vieran que conocía muchas cosas. Mi 3 volvió a decir:

—A ver, 1, explícate.

—Pues sí, dije 1, unos soldados croatas muy antiguos llevaban unos pañuelitos al cuello que parecían 6, y los franceses empezaron a ponerse esas tiritas de tela al cuello y como eran de los croatas las llamaron 6.

Mi 4 dijo:

—¡La 6 de 2! ¡Qué 5!

Mi 3 no dijo nada.

Como no había vuelo directo cogimos un 7 hasta Múnich, que está en Alemania, y allí otro 7 hasta Zagreb, que es la capital de 2.

En el aeropuerto tuvimos algún problemilla con los documentos, pero era porque no nos enterábamos muy bien, porque ni mi 3 y ni mi 4, ni 1 sabemos muy bien inglés y nada de nada de croata.

Cuando se resolvió, mi 4 dijo:

—La burocracia, aunque sea en 2, no me hace ninguna 5.

Luego cogimos un 8 hasta el centro. En Zagreb visitamos unas cuantas calles sin coches muy chulas, una catedral, una iglesia que tiene el tejado muy bonito con un mosaico de colores, un museo de cuadros *naíf*, que parece que los han pintado niños y un castillo y muchas cosas más. Mi 3 compró melocotones en un mercado. Estaban muy buenos, aunque dijo que no sabía si la habían engañado con el precio. Mi 4 dijo, para hacer una 5:

—La suspicacia en 2. ¡Qué 5!

Mi 3 no dijo nada, pero miró rara a mi 4.

En el 8 nos fuimos a Rijeka, que es una ciudad con un puerto muy grande. A mi 4 le dolía el estómago y se quedó en el hotel. Mi 3 le compró una medicina y le dijo:

—Toma, lo he comprado en una farmacia de 2. ¡Qué 5!

Mi 3 y 1 salimos a dar una vuelta y vimos una torre con un reloj grande muy estupendo. Era la torre del reloj, claro. Volvimos pronto a ver cómo iba mi 4.

Al día siguiente volvimos a coger el 8 y fuimos a Zadar, una ciudad con ruinas romanas y plazas y pozos. Nos sentamos en una plaza, bajo un árbol. Mi 4 dijo:

—¡Qué bien se está bajo esta acacia en 2! ¡Qué 5!

—Es un tilo, no una acacia –contestó mi 3.

—Bueno –replicó mi 4 tan ancho-, pero estamos en 2 y tilo no rima.

De Zadar fuimos a Trogir, que es una isla. Pasamos con el 8 por un puente y vimos un montón de fortalezas y castillos antiguos. En uno había una fiesta y vimos a una chica subida en siete sillas haciendo equilibrios. Mi 4 dijo:

—La acrobacia de 2. ¡Qué 5!

Después cogimos el 8 hasta Split, que también tiene muchas cosas romanas, un palacio, un templo y una catedral y hasta una playa estupenda. En un restaurante mi 3 pidió un plato sin saber lo que era. Mi 4 dijo:

—¡Vaya audacia en 2! ¡Qué 5!

Mi 3 sonrió cuando le trajeron unos pulpitos muy ricos. A mi 4, aunque se lo pidió varias veces, no se los dejó probar.

Luego fuimos en 8 hasta Dubrovnik, una ciudad antigua muy bonita, con una muralla con dieciséis torres que recorrimos por encima. Luego nos tomamos una limonada porque estábamos cansados. Después vimos dos palacios muy chulos, una catedral que se llama Velika Gospa (cuando lo oyó mi 4, volvió a decir "¡Qué 5!").

En Dubrovnik también cogimos un barco y fuimos a una isla. Mi 4 se mareó.

De Dubrovnik, una ciudad preciosa, cogimos el 8 y fuimos a Plitivice, donde hay dieciséis lagos y setenta y seis cascadas (o más). Lagos muy grandes y cascadas muy bonitas. Allí mi 3 le dijo a mi 4:

—Mira, eso sí que es una acacia.

—¿Una acacia? –dijo mi 4– Eso es perspicacia, ¡Qué 5! (Yo creo que lo tenía preparado desde hacía mucho).

También estuvimos en un sitio que se llama Etnoland, que es un pueblo antiguo pero nuevo. Allí comimos jamón dálmata, que no es jamón de perro. Es que en 2 está Dalmacia, que es de donde son los perros de los *101 dálmatas*.

Otra vez en el 8 volvimos a Zagreb y allí cogimos otro 7 hasta Múnich, y luego otro 7 hasta aquí.

Cuando volvíamos a casa, en el 8, íbamos de pie y mi 3 dijo en alto:

—Pues la verdad es que me ha hecho 5 el viaje a 2.

Mi 4 no dijo nada, pero sonrió y nos abrazó a las dos.

Firmado: 1

LISTA DE NÚMEROS Y SU SIGNIFICADO

1 Alba, yo
2 Croacia
3 Madre (la mía)
4 Padre (también)
5 Gracia
6 Corbata
7 Avión
8 Autobús

Sopa de Europa

Esta redacción podría titularse, siguiendo la pauta de todas las de los niños, ‹‹La *seño* en España››, y quedaría tan bien. Pero después de leer todos los textos que me han traído, y que ha habido que retocar un poco, he pensado que yo también tenía que ser original.

Mientras he corregido comas, puntos, signos de admiración o exclamación y alguna que otra falta de ortografía, he visto que la mayoría de los niños se han centrado en el aspecto más turístico del país que han visitado. Normal, por otro lado, iban con sus padres y todos han querido aprovechar el tiempo lo máximo posible.

Yo podría hacer lo mismo, contar todo lo maravilloso que hay en España, pero no tendría suficiente ni con mil redacciones. Podría hablar de ciudades tan preciosas como Cáceres, Santiago de Compostela, Vitoria, Córdoba, Toledo, Salamanca, Oviedo, Cádiz... O de pueblos tan espectaculares como Santillana del Mar, Peñíscola, Hondarribia, Besalú, Albarracín, Almagro, Llanes, Trujillo, Ronda, la Alberca, Chinchón, Tolosa, La Orotava, Sigüenza, Covarrubias... O de lugares tan fascinantes como Las Médulas, la Playa de las Catedrales, Doñana, Las Lagunas de Ruidera, Los cañones del Sil, la Ciudad Encantada, la Playa de la Concha, el Delta del Ebro... O podría enumerar monumentos tan importantes como La Alhambra de Granada, el Acueducto de Segovia, La Mezquita de Córdoba, los molinos de La Mancha, la Catedral de León, o la de Burgos, o la de Toledo, o la De Palma de Mallorca, la Sagrada Familia, El Escorial, la Torre del Oro de Sevilla, el Museo Guggenheim de Bilbao... O podría contar las maravillas de islas tan extraordinarias como El Hierro, La Palma, Menorca, Lanzarote...

Podríamos disfrutar de nuestras fiestas: los Sanfermines, las Fallas, la Feria de Abril, la

Tomatina, San Antolín, los Carnavales, la Semana Grande...

O, por qué no, saborear lo delicioso de nuestros platos: de la paella, la fabada, el cocido, el gazpacho, el pulpo a la gallega, la menestra, el cordero asado, el pa amb tomaquet, la ensaimada, las papas arrugadas, las migas, los churros... En fin, que no pararía.

Mil redacciones serían pocas para hablar de España. Como para hablar de cualquier país si lo conociéramos a fondo. Pero me he dado cuenta de que, aunque haya muchas diferencias, también hay muchas cosas iguales, muchas cosas que nos unen. Y que todos juntos formamos un conjunto muy jugoso.

Sí, yo creo que Europa es como una sopa, y cada país es un ingrediente. Unos se ven mucho, porque son muy grandes, otros se ven menos, pero todos tienen su importancia. Como dice Irina en su redacción, las cosas pequeñas también se notan. Y, así, todas juntas, hacen una sopa deliciosa.

Pero yo tengo que hablar un poco de España, y me gustaría hablar de algo muy español.

Creo que lo que nos diferencia del resto de los europeos es una letra, la Ñ. Somos los únicos que la tenemos. Por eso somos diferentes.

Sin la Ñ una caña sería una cana, una peña sería una pena, un moño sería un mono, un niño sería un nino y un año sería un ano, que suena un poco feo. Y, claro, esta redacción se tendría que llamar ‹‹La seno en Espana›› en vez de ‹‹La *seño* en España››.

Por eso he preferido el título de *Sopa de Europa,* porque después de juntar todos los ingredientes, de cocinarlos durante un buen rato a fuego lento, y de probarlos, he terminado por darle el último toque. El aliño de este plato tan delicioso es nuestra Ñ.

¿Qué te parece? ¿Te apetece un poco de *Sopa de Europa?*

Índice

RAFAEL ORDÓÑEZ CUADRADO

Nació en 1964 en Aguilar de Campos, un pueblecito de Valladolid, pero inmediatamente le llevaron a Madrid. Allí comenzó a leer y escribir y, más tarde, estudió Magisterio. En 1995 creó el grupo "Cháchara Cuentacuentos" y, además de su trabajo como auxiliar administrativo, se dedica a escribir relatos, poesías... y a contar cuentos.

Otras obras del autor en Alfaguara:
Animales muy normales (desde 6 años)
Un buen rato con cada plato (desde 6 años)
La estrella viajera (desde 6 años)
Los lunares de Renata (desde 6 años)
El tesoro del dragón (desde 8 años)
Bichos raros (desde 10 años)